Pierdomenico Baccalario e Tommaso Percivale

Il manuale delle 50 Avventure
da vivere prima dei 13 anni

Illustrazioni di AntonGionata Ferrari

il castoro

Questo libro è il manuale d'avventura di: _____

FOTO PRIMA DELLE MISSIONI:

Nome d'arte: _____

Nomignolo: _____

Nome di battaglia: _____

Nome in codice: _____

La consultazione di questo volume senza la presenza del legittimo avventuriero è **STRETTAMENTE PROIBITA** a chicchessia.

ECCEZIONI

Possono sfogliare queste pagine soltanto:

1._____

2._____

3._____

E, in caso finisse nelle mani di qualche supercriminale, concedo la consultazione ai seguenti supereroi affinché possano riportarmelo:

1._____

2._____

3._____

Se dovessi perderlo per le strade della città o esplorando un bosco, vi prego di contattarmi a questi indirizzi:

Telefono: _____

E-Mail: _____

In cambio del favore, vi ricompenserò con un'ottima merenda e con questo oggetto:

_____

Ho iniziato a compiere Missioni il
(giorno/mese/anno)

_____

all'età di

_____ anni,

e le ho completate tutte il
(giorno/mese/anno)

_____

La legge del libro

Quali sono questi tesori? Il cuore che batte per l'emozione, il respiro affannoso dopo una corsa, il caldo che brucia la pelle, il volo di una rondine o la bava di una lumaca, l'occhiolino di una nuvola o un barattolo che rotola esattamente dove tu volevi che rotolasse.

Fidati di noi, sono cose preziose.

Nascosti tra le pagine di questo libro ci sono molti tesori. Sono tesori che nessuno può rubare e per questo, una volta che li troverai, saranno tuoi per sempre. Potrebbero sembrarti cose piccole, cose normali o perfino cose inutili. È difficile capire quanto valgano. Ma con il tempo lo capirai. Con il tempo le vedrai brillare come diamanti sotto il sole.

I cercatori di tesori seguono tutti un'unica e antica legge: voglio divertirmi.

E infatti quello che hai tra le mani non è un libro per musoni o rompiscatole. Ogni volta che lo apri, devi essere pronto a vivere una giornata indimenticabile. Sei pronto?

Ecco le regole della **Legge del Libro**:

1. Porta questo libro sempre con te.
   Ogni momento è buono per completare una Missione.
2. Rispetta scrupolosamente queste Regole.
3. Se non ti piacciono, cancellale e inventane di nuove.
   Ma poi rispettale scrupolosamente.
4. Puoi cominciare a compiere Missioni solo dopo aver
   firmato il Contratto dell'Avventuriero.
5. Puoi scrivere, disegnare o scarabocchiare su qualsiasi
   pagina di questo libro, copertina compresa.
6. Sei autorizzato a danneggiare questo libro.
   Lo puoi macchiare, inzuppare, strappare, masticare,
   bruciare nel corso delle Missioni. Puoi attaccarci foto,
   biglietti, foglie, piume e tutto quello che vuoi. Il libro vivrà
   con te, affrontando le sfide senza mai tirarsi indietro.
7. Da adesso in avanti, devi saltellare su una gamba sola.
8. La Regola numero 7 non è più valida.
9. Devi compiere più Missioni possibili.
10. Per ogni Missione che hai affrontato, devi darti un voto
    da 1 a 10. Quanto coraggio ti è servito? Quanto hai
    imparato? Quanto ti sei divertito? Sommando i punti,
    otterrai il Valore che quella Missione ha avuto per te.
11. Se una Missione richiede la presenza di un adulto,
    devi compierla con un adulto. Altrimenti non è valida.
12. La Regola numero 13 non c'è perché porta sfortuna.
13.
14. Il modo migliore per divertirsi è farlo con almeno un amico.

Contratto
dell'Avventuriero

Io sottoscritto (nome e cognome)

_____

nel pieno delle mie facoltà fisiche e mentali,
accetto la sfida di diventare un avventuriero e pertanto:

Prometto solennemente di impegnarmi al massimo
per completare le Missioni presentate,
Prometto solennemente che mi divertirò e che per farlo
mi sporcherò, rovinerò vestiti e magari mi ferirò,
ma non mi lamenterò mai, perché farà parte dall'avventura,
Prometto solennemente di coinvolgere tutti gli amici
e le amiche che me lo chiederanno,
Prometto solennemente di rispettare la **Legge del Libro**.

In fede,
FIRMA E DATA

gLi IndiSpenSabiLi

L'avventura non è uno scherzo. Per questo gli avventurieri, che lo sanno benissimo, portano sempre con sé un equipaggiamento adeguato. Si tratta di pochi oggetti che costano pochissimo, ma devi sceglierli con la massima cura.

Ecco cosa non deve mai mancare nelle tue tasche di esploratore del mondo:

Spago: va bene quello per i pacchi o per legare gli arrosti. Portane con te un braccio o due (unità di misura che indica la lunghezza del tuo braccio). I professionisti dell'avventura usano la corda da alpinista (disponibile in vari colori e spessori) oppure il paracord, cioè la corda sintetica che si usa per legare i paracadute e può reggere pesi di 250 kg. Se hai qualche risparmio in più, puoi comprare il paracord nei grandi magazzini sportivi, oppure nei negozi di caccia e pesca.

Matita: una qualsiasi, basta che sia temperata. Vanno bene anche i pennarelli indelebili, ma devono essere controllati spesso perché puoi trovarli consumati proprio quando ti servono. Se devi tracciare linee sull'asfalto o sul cemento (per esempio per giocare a biglie), puoi usare un sasso appuntito trovato nelle vicinanze del luogo della Missione (ce ne sono sempre, vicino ai luoghi delle Missioni).

Accendino o fiammiferi: il fuoco è una delle cose più utili che ci sia. Impara a conoscerlo e a rispettarlo. Lui rispetterà te. Ti serve un po' di fuoco per bruciare le corde sintetiche dopo averle tagliate per evitare che si sfilaccino. Se preferisci, al posto dell'accendino puoi scegliere una scatola di fiammiferi, che puoi trovare in qualsiasi tabaccheria.

Coltellino svizzero: dopo avere domato il fuoco, l'uomo primitivo ha avuto bisogno di qualcosa per tagliare. Si fabbricava punte di lance e utensili scheggiando le rocce. Oggi non è più necessario, e puoi comprare un coltellino multiuso che ha anche l'apribottiglie (per i succhi di frutta), pinzette e altri strumenti utilissimi, tutti in formato tascabile. Il modello base costa meno di dieci euro e puoi trovarlo al supermercato, oppure da un ferramenta.

Lente d'ingrandimento: se ce l'ha Sherlock Holmes, dovremmo averla tutti. Oltre che per ingrandire le cose, può essere usata per accendere un fuoco d'emergenza (ma non è così facile come dicono). La trovi in cartoleria, ma prima di comprarla controlla di non averla già, in casa tua o magari dai nonni.

Caramelle: importante riserva di zucchero indispensabile per sopravvivere attraverso le Missioni più delicate. Impara l'antica regola di saper nascondere le caramelle ai grandi. E ti servirà per molte altre occasioni.

Nastro adesivo: va bene un tipo qualsiasi, anche se quello sottile e trasparente che si usa a scuola è un po' fragile. Meglio il nastro da elettricista, che resiste al fuoco ed è leggermente elastico, oppure il nastro telato. Puoi avvolgere qualche strappo di nastro attorno alla matita, per averlo sempre con te senza l'ingombro di un rotolo intero.

Torcia elettrica: per vedere al buio o in penombra. Ricorda le pile di riserva!

Orologio: se puoi, scegline uno con carica automatica o a energia solare, e soprattutto che sia resistente agli urti.

Telefonino: agli avventurieri non piacciono i telefoni cellulari, perché non vogliono essere sempre rintracciabili. È vero però che possono essere utili. In particolare i Furbofoni con le App. Quindi se decidi di averne uno con te ti perdoniamo solo se hai scaricato:

LeafSnap (che ti consente di riconoscere gli alberi dalla foglia);

Sky Map (che ti consente di riconoscere le stelle);

GeoCatching (che ti consente di fare cacce al tesoro intorno a te);

Kit di Sopravvivenza (che ti insegna molte cose, compreso come riconoscere le impronte degli animali).

Meno essenziali, ma decisamente utili:

Ma la cosa più importante che devi sempre portare con te è, naturalmente, questo libro.

Dadi: per tirare a sorte.

Biglie: si può giocare ovunque ci sia uno spazio libero. E poi sono un gioco vecchio. Vecchio vecchio. E gli avventurieri ADORANO le cose vecchie vecchie.

Un quadernino: per annotarti le cose che ti vengono in mente quando sei fuori casa.

LE 50 MISSIONI

DARE DA MANGIARE AD ALMENO 7 ANIMALI DIVERSI

Di solito, gli animali accettano cibo volentieri e a qualsiasi ora, purché sia succulento. La difficoltà di questa Missione, dunque, non è tanto dare da mangiare agli animali: è trovarli. E in caso di animali selvatici... non farsi mordere!

Cani e gatti sono un po' ovunque, ma sai dove trovare un coniglio? E un cavallo? Sì?

Bene, se vuoi una sfida davvero alla tua altezza, allora cerca un porcospino, una volpe, un tasso, un capriolo. Gli animali selvatici non si fidano degli uomini e riuscire a conquistarsi la loro fiducia richiederà molto impegno, ma ti darà altrettanta soddisfazione. In caso di animali poco abituati ad avere contatti con gli uomini, sii prudente.

Un animale selvatico e affamato, infatti, non essendo abituato a ricevere cibo dagli uomini, potrebbe finire per mordere anche la tua mano, oltre al cibo che gli stai porgendo.

Se ti trovi in un bosco fai attenzione a proteggerti, dunque. Interpreta attentamente i segnali che la bestiola ti invia, guardalo sempre negli occhi: se è diffidente e si ritrae, non avvicinarti ma limitati a lanciare il cibo a terra, prima vicino all'animale, e via via, se lui te ne dà la possibilità, sempre più vicino a te.

La scelta del cibo è importante. È del tutto inutile offrire un ciuffo d'erba a un cane, così come è vano porgere un pezzo di carne a un capriolo. Tutti e due pense-

rebbero che tu sei l'animale più stupido che hanno mai visto. Impara quindi a distinguere tra gli animali carnivori e quelli erbivori. Sono carnivori non soltanto i leoni e le tigri, ma anche le volpi, le civette, i tassi. I conigli sono erbivori. I topolini onnivori, come noi esseri umani.

C'è poi il rischio di offrire del cibo che per noi è buonissimo, ma che potrebbe essere velenoso per l'animale. Un esempio? Agli animali domestici non dovresti mai offrire pane, pasta o dolci. Il cioccolato, l'uva e l'uvetta sono pericolosissimi per cani e gatti, mentre il latte è velenoso per i ricci.

Prima di offrire del cibo a un animale, dunque, assicurati che possa mangiarlo.

 MISSIONE COMPIUTA!

Ho dato da mangiare a questi animali:

1.

2.

3.

4.

5.

6.

7.

E sono stato morso da:

 Il valore della Missione
(dai un punteggio da 1 a 10)

Coraggio: . . . .
Curiosità: . . . .
Cura: . . . .
Costruire: . . . .
Divertimento: . . . . .

 Cosa ricorderai?

Il calore buono che dà la sensazione di nutrire qualcuno, gli sguardi, le strusciate di musi e le leccate di riconoscenza, gli odori, le nuove amicizie.

 Il libro da leggere: *Il cucciolo*, di Marjorie Kinnan Rawlings.

PATTINARE E ANDARE IN SKATE

Il vento che schiaffeggia le guance, la velocità che frigge i capelli, la strada che scivola via crepitando sotto i piedi.

Quando vai in bicicletta, provi queste sensazioni mentre siedi in equilibrio su un veicolo.

Ma cosa succede, invece, se il veicolo sei tu, e a mantenere l'equilibrio sono solo i tuoi muscoli e la tua postura? Cosa accade quando le ruote, invece che rollare davanti e dietro di te, sono attaccate ai tuoi piedi? Provi le stesse emozioni, magari più forti? Hai più paura, o meno?

I carri, le biciclette, le automobili e persino gli aeroplani usano le ruote per trasportare persone e cose. Ma le ruote possono servire anche per volare senza bisogno di ali, sfrecciando tra le strade e i marciapiedi della tua città.

Puoi provare i classici pattini a rotelle, o uno skateboard.

Qualsiasi mezzo tu scelga, preparati a cadute terrificanti, ginocchia sbucciate e vestiti strappati. Tutti cadono, prima o poi, perché cadere fa parte del gioco. Ma non avere paura: procurati casco, ginocchiere e polsiere e sii pronto a tirarti su. Non c'è battaglia senza ferite.

Esistono piste di pattinaggio al chiuso, con un pavimento liscissimo dove ci si può divertire anche quando piove. Sono perfette per imparare, perché lì è anche possibile noleggiare i pattini e partecipare a corsi per chi è alle prime armi.

Quando diventerai abbastanza bravo a sfrecciare, ti verrà voglia di cimentarti con acrobazie più elaborate e prove di abilità. In alcune città esistono gli skatepark, luoghi attrezzati con ostacoli particolari. Lì possono andare anche le Bmx, le biciclette da cross, ma i più scalmanati e liberi sono senza dubbio gli skater. Tra gli ostacoli più diffusi c'è il pipe (il tubo) e l'half pipe, il mezzo tubo, una conca in cui si gavotta avanti e indietro prendendo lo slancio per piccole e grandi evoluzioni. Sta a te decidere se ti piacciono. Se sì, buttati!

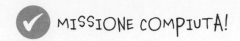 MISSIONE COMPIUTA!

Incolla qui un cerotto usato nel corso di questa importante impresa, a riprova delle tue ferite di guerra.

Il valore della Missione
(dai un punteggio da 1 a 10)

Coraggio:.........
Curiosità: ....
Cura:............
Costruire: ....
Divertimento: .....

Cosa ricorderai?

La velocità, l'adrenalina, il cuore che si tuffa al di là dell'ostacolo. L'impatto a terra ad ogni caduta. La sensazione di felicità perché, dopo essere caduto, puoi ancora rialzarti, sempre.

 Il libro da leggere: *Pattini d'argento*, di Mary Mapes Dodge.

GIOCARE A PALLONE SU UN PRATO

Qual è il segreto che rende il calcio così amato? La corsa, il movimento, il fatto che si possa giocare ovunque e con chiunque, maschi e femmine, all'aperto o al chiuso? Le regole semplici, la compagnia degli amici, la competizione che passa in secondo piano rispetto al divertimento e al sudore a fine partita?

Tutte queste cose insieme, forse, e molte altre. Il calcio è uno sport facile da giocare, per cui servono solo un pallone (che può essere fatto di qualsiasi cosa, in realtà: dal cuoio a un fagotto di calzini vecchi) e... beh, i piedi.

Come si gioca a calcio nemmeno te lo spieghiamo. O forse sì: devi far rotolare la palla in porta, alle spalle del portiere. Il portiere è l'unico giocatore che può usare la palla con le mani, ma *solo* vicino alla porta. Mira bene, quando tiri! Puoi usare qualsiasi parte del corpo, tranne braccia e mani. Vince chi fa più gol.

Per giocare una partita vera, non basta palleggiare sotto il sole. Bisogna reclutare qualche amico (almeno due, ma più sono più ci si diverte) e trovare uno spiazzo libero. Va bene qualsiasi ambiente, dal cortile a un parco. L'erba sul campo aiuta a non farsi troppo male quando si cade. Ma non è indispensabile.

Costruire una porta regolamentare

Puoi fare a meno di segnare i confini del campo, ma non puoi giocare a calcio se non identifichi bene le porte. In mancanza d'altro puoi segnare i pali posando a terra due zaini, o due felpe arrotolate. La cosa migliore, però, sarebbe usare due veri pali di legno, da conficcare a terra. E, se vuoi essere davvero preciso, allora devi montare anche la traversa. Il che non è facile: non basta appoggiare un bastone sui pali, perché al primo colpo la traversa ti cadrebbe sulla testa. Occorre un lavoro ben fatto.

Anzitutto, consideriamo le misure. Una porta da calcio regolamentare è larga 7,32 metri e alta 2,44 metri. Ma sono misure pensate per gli adulti, energumeni di due metri con le spalle larghe come una veranda. Quindi diciamo che la tua porta dovrebbe essere larga cinque passi e un poco più alta di dove arrivi con le dita stando sulle punte dei piedi. Chiaro, no?

A questo punto devi trovare tre pali: due più corti da conficcare a terra, che finiscano con una biforcazione a Y; uno più lungo da distendere orizzontalmente sopra gli altri due. Il palo orizzontale farà da traversa. Lega bene la traversa ai pali verticali usando lo spago e a questo punto... fischio d'inizio!

MISSIONE COMPIUTA!

Segna qui i nomi dei giocatori
(divisi per squadra) e i risultati delle partite:

Il valore della Missione
(dai un punteggio da 1 a 10)

Coraggio:. . . . .
Curiosità: . . . .
Cura:. . . . .
Costruire: . . . .
Divertimento: . . . . .

 ## Cosa ricorderai?

Il sudore, i muscoli caldi, la voglia di segnare un gol. L'emozione di sentirsi parte di un gruppo, le pacche sulle spalle tra compagni. La voglia di rivincita quando perderai, le partite vinte per un soffio, le grida di chi fa il tifo per te.

 Il libro da leggere: *La notte in cui la guerra si fermò, di James Riordan.*

IMPARARE 5 NODI

Le corde allacciano e slacciano, tengono e lasciano andare, trasportano, sorreggono, stringono, sollevano, saldano, avvolgono, uniscono, separano. Senza corde le navi non potrebbero navigare, i ponti di legno crollerebbero, le reti non esisterebbero e i prigionieri catturati scapperebbero alla velocità della luce.

L'arte di fabbricare e usare le corde è antichissima. Fin dai tempi primitivi l'uomo capì che legare una cosa a un'altra faceva parte della sua sopravvivenza tanto quanto cercare cibo, dormire, difendersi. Imparare a usare una corda, quindi, vuol dire imparare a cavarsela da soli in tante situazioni inaspettate.

Per allacciare tra loro le corde esistono migliaia di nodi differenti, ciascuno dei quali adatto a certe situazioni specifiche. Ne abbiamo scelti cinque tra i più semplici e più versatili, che ti saranno molto utili. Per completare la Missione devi imparare a farli tutti.

1- Il nodo semplice: ha mille usi. È il nodo usato per assicurare il filo alla cruna dell'ago per cucire. Si può usare anche per creare una corda da arrampicata. Facendo un nodo ogni mezzo metro si otterrà una corda con tanti appigli.

2- Il nodo savoia: è una versione migliorata del nodo semplice.

3- Il nodo paletto: serve per legare una corda a un palo. Ha il grande vantaggio di sciogliersi facilmente quando la corda non è in tensione. Si usa anche per legare le bandiere.

4- La gassa d'amante: si usa per creare un cappio in fondo a una corda. Ci si può appendere qualsiasi cosa e per questo è usato anche per i salvataggi.

5- Nodo scorsoio semplice: i nodi scorsoi si stringono intorno a qualcosa quando la corda viene tirata. Puoi ottenerlo anche facendo ripassare la corda all'interno di una gassa d'amante.

Procurati un pezzo di spago o una sottile corda di nylon e allenati a fare e a disfare questi nodi finché non riuscirai a farli anche a occhi chiusi.

 MISSIONE COMPIUTA!

Taglia un pezzetto della corda che hai usato
e attaccalo qui con lo scotch.

 Il valore della Missione
(dai un punteggio da 1 a 10)

Coraggio:.........
Curiosità: ....
Cura:............
Costruire: ....
Divertimento: .....

Cosa ricorderai?

La concentrazione, la soddisfazione alla riuscita di un nodo difficile, le dita graffiate, la superficie ruvida delle corde che ti grattugia i polpastrelli.

 Il libro da leggere: *Moby Dick*, di Herman Melville.

FAR VOLARE UN AQUILONE

Gli uomini hanno sempre sognato di volare. La spinta, la vertigine, l'equilibrio sul vuoto...

Per millenni abbiamo guardato la volta celeste ammirando (e invidiando) gli uccelli con le loro penne lunghe e leggere, la loro grazia nel decollo, la capacità di lasciarsi un mondo alle spalle per andare a cercarne un altro più su, là dove il vento spinge più lontano. Miti e leggende hanno raccontato per millenni questo nostro desiderio di volare. Ma fino all'invenzione dell'aeroplano da parte dei fratelli Wright (1903), volare è stato solo un bel sogno a occhi aperti.

Eppure, è sempre esistito un sistema divertente e sicuro per avere la sensazione di volare pur mantenendo i piedi per terra: gli aquiloni!

Il più conosciuto è l'aquilone a forma di rombo, che è anche il più facile da costruirsi da soli. Ma ne esistono di ogni forma e modello, e se ne trovano anche di economici. Scegli quello che fa per te e cerca il posto giusto per farlo decollare. Ricorda solo questo: l'importante è che ci sia il vento.

Puoi provare in spiaggia, su una scogliera o in montagna, oppure puoi andare in collina, magari in un punto panoramico.
Per sollevare l'aquilone in volo, devi distendere il filo che lo lega al rocchetto e cominciare a correre, trascinando l'aquilone dietro di te finché non si solleva da terra.

 MISSIONE COMPIUTA!

 Il valore della Missione
(dai un punteggio da 1 a 10)

Coraggio:. . . . .
Curiosità: . . . .
Cura:. . . . .
Costruire: . . . .
Divertimento: . . . . .

 Cosa ricorderai?

Il vento addosso, i cavi aggrovigliati, l'emozione di immaginarti libero come un uccello, lassù, sul dorso del tuo aquilone.

 Il libro da leggere: *Il gabbiano Jonathan Livingston,* di Richard Bach.

MISSIONE 06

RICONOSCERE 10 NUVOLE

Indovinare la forma delle nuvole è un'esperienza magica e visionaria, che dice tanto del nostro carattere e dei nostri sogni.

Le nuvole sono un fenomeno meteorologico buffo e affascinante. Si lasciano plasmare come creta tra le dita del vento e assumono le forme più diverse, che aspettano solo che qualcuno le indovini.

Per riuscire in questa Missione dovrai sdraiarti all'aperto (noi ti consigliamo un prato, perché l'erba soffice aiuta la concentrazione) e restare lì col naso per aria. Cosa stanno mimando le nuvole sopra di te? È un razzo, quello? Un pesce con la barba? La faccia di zio Donato?

Trova almeno dieci forme, e più sono pazze, meglio è.

 MISSIONE COMPIUTA!

Disegna qui le forme più bizzarre che hai trovato (almeno 3):

 Il valore della Missione
(dai un punteggio da 1 a 10)

Coraggio:.........
Curiosità: ....
Cura:............
Costruire: ....
Divertimento: .....

 Cosa ricorderai?

La sensazione di infinito, il solletico dell'erba sul collo, il profumo delle guance cotte dal sole. Il disorientamento che ti pervade dopo che hai guardato il cielo molto a lungo e la fatica di tornare coi pensieri per terra.

 Il libro da leggere: *La storia infinita*, di Michael Ende.

ORGANIZZARE UNA CACCIA AL TESORO

Solo una cosa al mondo è divertente quanto partecipare a una caccia al tesoro: organizzarne una. Per inventare un enigma o un indovinello, infatti, ci vuole una mente geniale almeno quanto quella di chi lo risolve.

Una caccia al tesoro comprende una catena di indizi che puntano verso il nascondiglio di qualcosa di meraviglioso (il tesoro, appunto). Gli indizi non devono essere né troppo chiari, né troppo ovvi; abbastanza difficili da rappresentare una sfida, ma risolvibili dai partecipanti.

Lo scenario in cui si svolge una caccia al tesoro è importante, ma non troppo: un castello medioevale è molto più suggestivo del parcheggio del supermercato, certo, però l'immaginazione può aiutarti a trasformare un luogo comune in un posto spettacolare.

L'importante è che sia un luogo che conosci bene, perché dovrai sfruttare le sue caratteristiche per far impazzire i tuoi amici.

Di solito gli indizi della caccia vanno scritti. Indovinelli o filastrocche, ad esempio, sono perfetti.

Ecco due buoni esempi di indizi:

- *"Il prossimo indizio si trova dove tutti i mari si navigano con le mani"* – cioè all'interno di un atlante geografico, oppure su una mappa (appesa o comunque visibile).

- *"È l'unica casa che non ha porte"* – cioè il tronco cavo di un albero, dove gli scoiattoli fanno la tana.

Per cominciare

Prepara cinque fogli e cinque buste e numerali da 1 a 5. Poi studia il luogo finale dove intendi nascondere il tuo tesoro.

Deve essere un posto facile da raggiungere, eppure, per qualche ragione, insospettabile. Sotto il letto? Ok, sotto il letto. Ovvero *"là dove si nasconde l'uomo nero"*. Scrivi in modo vago e sibillino questo posto sopra al foglio numero 5, e poi sigillalo nella busta. A questo punto devi trovare un luogo dove nascondere quell'indizio. Gli indizi non devono essere vicini uno all'altro: lascia che i cacciatori consumino la suola delle scarpe!

Quando hai trovato anche quel nascondiglio, descrivilo sul foglio numero 4, e ripeti i passaggi finché non hai sigillato la busta numero 1, che sarà la prima da dare in mano ai giocatori. I giocatori dovranno risolvere gli indizi uno dopo l'altro, trovando i nascondigli di tutte le buste e poi, finalmente, il tesoro.

Più impegno metterai nell'organizzazione del gioco e più sarà divertente.

Il premio

Il premio non è la cosa più importante. La chiave di una caccia al tesoro è... la caccia!

Tuttavia, se non offri qualcosa di speciale, alla fine del percorso avrai di fronte a te uno stuolo di amici stanchi e delusi.

Vuoi qualche consiglio? Puoi premiarli con un gioco da tavolo da fare tutti insieme, un videogioco oppure un libro. E ricordati di aggiungere sempre un messaggio per i vincitori: una specie di certificato che possano tenere per tutta la vita, scritto apposta per loro. Quello sarà il tesoro più prezioso.

 **MISSIONE COMPIUTA!**

Incolla qui (ben ripiegato) l'indizio della caccia
che i tuoi amici hanno fatto più fatica a indovinare.

 Il valore della Missione
(dai un punteggio da 1 a 10)

Coraggio:.........
Curiosità: ....
Cura:............
Costruire: ....
Divertimento: .....

 Cosa ricorderai?

Le ore passate a spremerti le me-
ningi per creare gli enigmi più di-
vertenti e vedere i tuoi amici che,
a loro volta, si spremono le me-
ningi per risolverli. La tentazione
di dare suggerimenti. La complici-
tà con i giocatori.

 Il libro da leggere: *L'isola del tesoro,*
di Robert Louis Stevenson.

CREARE UNA BOLLA DI SAPONE GIGANTE

Pensa a qualcosa che esiste ma non esiste, che ha un corpo ma non ha un peso, che è chiuso ma trasparente, che non ha colore eppure li ha tutti, che è fragilissimo ma con quella fragilità può andare molto lontano.

Stai pensando a una bolla di sapone. Le bolle di sapone sono una magia. E se non è difficile crearne di piccole, beh... provate a farne di grandi. È un'impresa!

Per completare questa Missione dovrai creare bolle di sapone grandi, grandissime, giganti.
Così giganti che potrai entrarci DENTRO.

Ecco la ricetta segreta del liquido per bolle giganti:
• Un bicchiere di sapone per i piatti
• Mezzo bicchiere d'acqua
• Un terzo di bicchiere di gliceri-

na liquida (devi andarla a chiedere in farmacia)
• Due cucchiaini di zucchero a velo

Mescola tutto quanto in un secchio. Fai molto piano per non creare troppa schiuma.
Poi chiudi con un coperchio, e lascia riposare il liquido per un giorno o due.

A questo punto, per fare una bolla di sapone ti serve qualcosa di grande che abbia la forma di un anello. Puoi fartene uno da solo modellando una gruccia di fil di ferro, di quelle che si usano in lavanderia per appendere le camicie.
L'anello va immerso nel liquido speciale, sollevato vicino alla faccia e poi... giù di polmoni! Se soffiare non ti basta, puoi far ondeggiare dolcemente l'anello saponato verso destra e verso sinistra: la bolla si riempirà di vento e si creerà da sé, gonfiandosi piano.

MISSIONE COMPIUTA!

Fai cadere qui (delicatamente)
una goccia della tua speciale acqua saponata
e lasciala asciugare prima di richiudere il libro.

Il valore della Missione
(dai un punteggio da 1 a 10)

Coraggio:.........
Curiosità: ....
Cura:............
Costruire: ....
Divertimento: .....

 Cosa ricorderai?

Il profumo di sapone, così forte che ti sembrerà di sentirne il sapore in bocca. La delicatezza dei movimenti, la sorpresa, i colori, gli stormi di bolle trasportati dal vento, gli schizzi sul naso. E il papà che si domanda dove è finita la gruccia a cui appendeva la camicia.

 Il libro da leggere: *Manuale di Piccolo Circo, di Claudio Madia.*

ARRAMPICARSI SU UN ALBERO

C'è chi si arrampica per cogliere un frutto, chi per ammirare un bel panorama dall'alto, ma la verità è che non serve una scusa per arrampicarsi. Bisogna salire solo per il gusto di salire.

La tecnica si acquisisce con l'esperienza: devi provare. Devi aggrapparti al tronco con le mani, mettere la faccia contro la corteccia e la resina, spellarti le ginocchia, cadere, e ricominciare. Devi provare il brivido di domandarti se il ramo ti reggerà o se cadrai nel vuoto, e imparare a capire quando puoi continuare e quando invece è meglio fermarsi.

Quando sali, devi sempre avere tre punti di appoggio. Quando allunghi una mano per raggiungere un ramo più alto, l'altra mano deve essere ben stretta a qualcosa, e i piedi bene appoggiati.

...are. Mai.

...non tentare di salire in ciabatte, o con scarpe dalla suola liscia: la tecnica più comoda è indossare scarponi da escursionista, ma... beh, i veri duri salgono a piedi nudi!

Una volta che sei su, cerca di restarci più a lungo possibile. Nascosto tra le foglie, potrai vedere senza essere visto e ascoltare senza essere ascoltato.
Sarai in un posto speciale, tutto per te.

 MISSIONE COMPIUTA!

Stacca delicatamente una foglia dal ramo più alto che riesci a raggiungere durante la tua arrampicata, e attaccala qui con lo scotch.

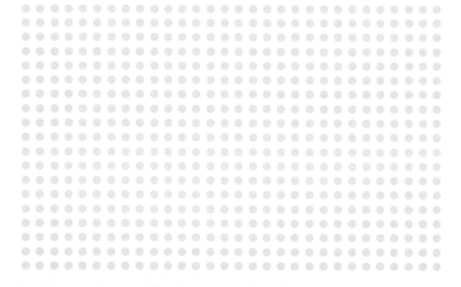

Il valore della Missione
(dai un punteggio da 1 a 10)

Coraggio:. . . . .
Curiosità: . . . .
Cura:. . . . .
Costruire: . . . .
Divertimento: . . . . .

 Cosa ricorderai?

Il mondo visto in un modo nuovo. Le mani strette contro la corteccia ruvida, i rami che scricchiolano sotto i piedi, le fronde che ti solleticano la testa e si chinano giù, a sbirciare il vuoto sotto di te. L'esaltazione dell'altezza. La paura. La meraviglia di essere finalmente in cima al mondo.

 Il libro da leggere: *Il barone rampante*, di Italo Calvino.

ADULTO PRESENTE!

COSTRUIRE UNA CASA SULL'ALBERO

Una volta che ti sei arrampicato sull'albero della Missione 9, guardati attorno: è un albero robusto? Magari una quercia dai rami grossi e nodosi, che si aprono a ventaglio verso l'alto?
Se è così, ti trovi già nel posto perfetto per costruire una casa sull'albero.

Purtroppo per costruirla non basta trovare qualche tavola di legno e un pugno di chiodi: occorre l'aiuto di una persona che sappia usarli. Se i tuoi genitori (o qualcuno che conosci bene) hanno un garage con gli attrezzi giusti, chiedi aiuto a loro. Costruirla insieme sarà un'esperienza indimenticabile, e non importa se il risultato non sarà perfetto.

Tu potresti realizzare una corda da arrampicata per facilitare la salita, come ti abbiamo spiegato nella Missione 4, e cogliere l'occasione per imparare a usare bene gli attrezzi.

Ora che hai costruito il tuo covo, come lo userai? Potresti lasciarti cullare dal fruscio del vento fra i rami e leggerti un libro in santa pace, all'ombra del tuo riparo. Oppure potresti conoscere i nuovi vicini. Procurati un binocolo e scruta tra le fronde in cerca di nidi e pennuti dal canto melodioso. Oppure... continua tu!

 MISSIONE COMPIUTA!

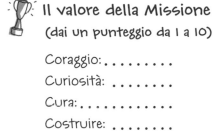 **Il valore della Missione**
(dai un punteggio da 1 a 10)

Coraggio:. . . . .
Curiosità: . . . .
Cura:. . . . .
Costruire: . . . .
Divertimento: . . . . .

 **Cosa ricorderai?**

Il brivido dell'altezza, l'esaltazione di avere un nido tutto tuo, la voglia di non scendere mai più.

 Il libro da leggere: *Tobia*, di Timothée de Fombelle.

DORMIRE IN UN POSTO PERICOLOSO

Hai paura del buio? Degli insetti? Dell'acqua?

Prendi le tue paure, chiudile in un cassetto e butta via la chiave: per riuscire in questa Missione, dovrai dormire in un luogo da brividi.

Non è necessario che tu sia solo: amici o genitori possono farti compagnia. Ma il posto deve essere davvero speciale, e pericoloso.

Per esempio, hai mai dormito all'aperto, in tenda o in un sacco a pelo? Se non ti è ancora capitato, puoi allenarti in salotto. Poi spostati in terrazzo, o in un bel giardino. E infine in un bosco. Quando sarai immerso nel buio della notte, all'inizio ti sembrerà di non sentire più nulla, neppure uno scricchiolio. Ma non appena ti rilasserai, comincerai a sentire le voci della terra attorno a te. Il fremito degli alberi mossi dalla brezza. Il frinire ostinato delle cicale e dei grilli (se è estate). Il ronzio dei cavi elettrici tra i tralicci, se ti trovi vicino a una strada. Scoprirai che, quando dormi all'aperto, i tuoi sensi cambiano: ti sembrerà di avere mille orecchie e mille nasi, tutti all'erta come antenne.

La notte è lunga...

Sei lontano da casa, in un posto buio e isolato, con una combriccola di amici coraggiosi. Come passerete le serate? Ovvio: raccontando storie di paura!

Puoi trarre ispirazione da tantissimi libri che raccontano storie di fantasmi, lupi mannari e streghe. Oppure puoi inventarne una tu. La regola è una sola: la storia deve far paura anche a te!

 MISSIONE COMPIUTA!

Annota qui tutto ciò che ti ha fatto paura nella notte del tuo campeggio selvaggio.

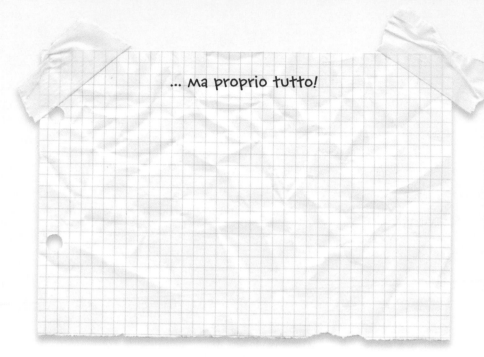

... ma proprio tutto!

 Il valore della Missione
(dai un punteggio da 1 a 10)

Coraggio:.........
Curiosità: ....
Cura:............
Costruire: ....
Divertimento: .....

 Cosa ricorderai?

La sensazione di far parte di un grande mistero, la schiena indolenzita, i suoni segreti della notte, il sonno leggero, gli occhi dei tuoi amici che brillano nell'oscurità.

 Il libro da leggere: *Il libro della giungla*, di Rudyard Kipling. E per le storie di paura, cerca i racconti di Edgar Allan Poe (ma noi non te l'abbiamo detto, perché fanno DAVVERO paura).

OSSERVARE LE STELLE

Se sei uscito per compiere la Missione 11, adesso potresti trovarti sdraiato tra le dune del Sahara, o a dondolare su un'amaca tra due palme di un'isola tropicale, o sdraiato sul terrazzo di casa. In qualsiasi caso, apri gli occhi e guarda il cielo. Cosa vedi?

Se non ci sono nuvole e la notte è serena, vedi la volta del cielo trapuntata di stelle.

Le stelle sono lì da sempre, da molto prima che esistessimo noi, e persino il nostro pianeta. Dai tempi dei tempi chiunque, di notte, può sollevare lo sguardo e trovare un'immensa distesa di piccoli bagliori luminosi, lontani come miraggi, rassicuranti come compagni. Sono sempre gli stessi, per tutta la durata della vita. Le stelle sono così affidabili che i marinai le usano ancora oggi per orientarsi, e la loro migliore amica è la Stella Polare, quella che indica il Nord. Prova a cercarla anche tu. Puoi usare un trucco: individua il Grande Carro (conosciuto anche come l'Orsa Maggiore). Il Grande Carro è una costellazione, cioè un gruppo di stelle che, unite tra loro, creano una figura. È un po' come il gioco "unisci i puntini", ma senza i numeri. Questa costellazione sembra davvero un vecchio carro senza ruote, o un pentolino per cuocere le uova.

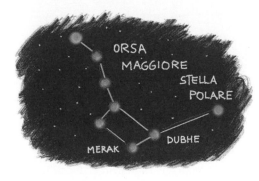

Quando l'hai localizzata segui il contorno della costellazione fino a individuare le ultime due stelle,

quelle che disegnano lo sportello del carro. Si chiamano Merak e Dubhe. Ora crea una linea immaginaria che le collega tutte e due e prosegue. La Stella Polare si trova proprio su quella linea, a una distanza di quattro volte quella tra le due stelline del carro.

Nel cielo sopra alla tua testa ci sono ottantotto costellazioni, e ciascuna di esse domina uno spicchio di cielo. Se ne hai la possibilità, procurati un libricino di astronomia (in casa, a scuola o in biblioteca) o chiedi ai tuoi genitori di scaricare una App che le descrive (ce ne sono tante molto ben fatte, come Sky Map) e prova a riconoscere almeno cinque costellazioni.

Le più famose, oltre all'Orsa Maggiore, sono quelle di Orione (che si può vedere d'inverno), del Cigno e dello Scorpione (entrambe estive).

CIGNO

ORIONE

SCORPIONE

 MISSIONE COMPIUTA!

Hai trovato qualche forma interessante, ammirando il firmamento? Un ippopotamo, un ombrello, un aquilone? Disegna qui la tua costellazione personale e dalle un nome.

Il valore della Missione
(dai un punteggio da 1 a 10)

Coraggio: . . . .

Curiosità: . . . .

Cura: . . . .

Costruire: . . . .

Divertimento: . . . . .

Cosa ricorderai?

La sensazione di essere picco-lo piccolo, l'incanto, il senso di vertigine che si prova fissando a lungo lo sguardo sulle costella-zioni, nel buio di una notte nera.

 Il libro da leggere: *Peter Pan*, di James M. Barrie.

FABBRICARSI UN VERO BASTONE

A volte, per camminare, le gambe non bastano. Quando la salita è troppo ripida e le gambe strillano dal male; quando il percorso è lungo e faticoso e il tuo corpo chiede aiuto; quando il terreno, la roccia o le paludi ti impongono movimenti che non sono alla tua portata... In tutti questi casi hai bisogno di un amico fedele: un vero bastone.

Non ti aiuterà soltanto a camminare: il bastone può essere usato per costruire una barella, saltare un fosso, misurare la profondità di un fiume o, quando non c'è luce, per non perdere i propri compagni.

I legni migliori per fabbricarne uno sono il corniolo, il frassino, l'acero, il rovere, la robinia, il maggiociondolo, il sambuco e l'olmo. Per costruire un bastone però

non bisogna abbattere un albe-
rello o segare un ramo. Non solo
sarebbe un'offesa, ma il legno
fresco e tenero non è adatto.

Quindi, vai in un bosco e raccogli un ramo già caduto. Deve
essere dritto, lungo all'incirca
quanto te. E deve poter essere
impugnato comodamente, per
cui solo tu puoi decidere se ti
va bene e riesci a stringerlo all'altezza giusta. Non cercarlo molto
grande; due centimetri di diame-
tro vanno benissimo.

Con un coltello, sfoglia la punta del bastone in modo che di-
venti acuminata ma robusta, in
grado di resistere alle fatiche di
una camminata su terreni acci-
dentati.

Poi pulisci l'impugnatura dalla
corteccia, perché non sia ruvida.

Fai scorrere la lama del coltellino
lungo tutta la superficie e fai saltare i nodi.

Infine, avvicinando il bastone a
un righello, riporta sul bastone
le tacche che ti possono servire
per prendere misure quando sei
fuori di casa (e non hai un righello). Ora incidi il tuo nome e
l'anno in cui l'hai fabbricato.

Quello che ti serve, adesso, è una
lunga escursione avventurosa!

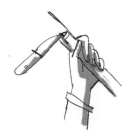

 MISSIONE COMPIUTA!

Ho trovato il ramo perfetto
per il mio bastone qui:

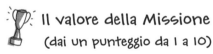 Il valore della Missione
(dai un punteggio da I a IO)

Coraggio: . . . .
Curiosità: . . . .
Cura: . . . .
Costruire: . . . .
Divertimento: . . . . .

Cosa ricorderai?

Le meraviglie segrete del sottobosco segnate dalla vita silenzio-
sa e antica degli alberi, la differen-
za tra i vari tipi di legno, le dita
indolenzite dal lavoro. Il modo in
cui il tuo bastone si conficca nel
terreno.

 Il libro da leggere: *Il Signore degli Anelli*, di J.R.R. Tolkien.

ADULTO PRESENTE!

CAMMINARE TRA LE OMBRE DELLA NOTTE

Le giornate sono divise in due: il giorno, illuminato dal sole e dedicato alle attività produttive, e la notte, protetta dalla luna e riservata alla festa o al riposo.

Il che è un gran peccato, perché la notte, regno del buio e del mistero, può offrire molto di più. L'oscurità e il silenzio sono amici dei rapaci notturni, dei ladri, delle spie. Ma anche dei coraggiosi, dei forti e di chi ha sete di segre-ti. La notte è un territorio tutto da esplorare, tra insidie e pericoli sconosciuti.

Per completare questa Missione devi farti una passeggiata dopo il tramonto. Puoi scegliere un percorso cittadino o, meglio ancora, puoi esplorare un ambiente selvaggio.

Con la compagnia di un adulto, e magari di qualche amico, avventurati nel cuore delle cose che si vedono solo quando non c'è luce. Aguzza le orecchie, cerca di riconoscere ogni suono. Respira a fondo e scopri gli odori della notte.

Se sei in un bosco, appostati vicino a un corso d'acqua: potrai sorprendere qualche bestiola che va ad abbeverarsi. Cinghiali, caprioli, volpi, tassi e ghiri amano gironzolare di notte, perché si sentono protetti da occhi indiscreti. Cerca di restare sottovento, per evitare che gli animali percepiscano il tuo odore e si allontanino.
E sii paziente, nella notte. Il tempo del buio è un tempo pieno di lentezza.

Il trucco del professionista

Porta con te una torcia elettrica, e non dimenticare di aggiungere le batterie di scorta, per evitare di rimanere al buio.

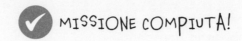 MISSIONE COMPIUTA!

Annota rumori, odori e incontri
della tua esplorazione notturna.

RUMORI:

ODORI:

INCONTRI:

Il valore della Missione
(dai un punteggio da 1 a 10)

Coraggio: . . . .
Curiosità: . . . .
Cura: . . . .
Costruire: . . . .
Divertimento: . . . . .

 Cosa ricorderai?

I passi incerti, la luce dei lampioni o della luna che illumina solo ciò che vuole illuminare. La notte addosso come un vestito, la sensazione che tutto sia un segreto, tutto quanto, anche tu.

 Il libro da leggere: *La storia di Mina*, di David Almond.

GUARDARE L'ALBA E IL TRAMONTO
DELLO STESSO GIORNO

Noi vediamo l'alternarsi del giorno e della notte e lo diamo per scontato, ma non esiste niente di più meraviglioso. Dobbiamo tutto al Sole. Quel grosso tizzone incandescente ci regala una quantità di energia inimmaginabile. Senza di lui, non potrebbe crescere nulla attorno a noi. Niente erba, alberi, animali. Non ci sarebbe nemmeno la pioggia, perché senza l'evaporazione di mari e laghi non ci sarebbero neppure le nuvole.

Per completare questa Missione dovrai assistere all'alba e al tramonto dello stesso giorno, salutando il Sole che fa capolino all'orizzonte uno spicchio per volta, e poi accompagnarlo a dormire al tramonto, dalla parte opposta della volta celeste.

Ecco alcuni consigli: il Sole sorge a est e tramonta a ovest. Trovati quindi un luogo d'osservazione che abbia questi punti cardinali liberi da ostacoli. L'alba e il tramonto non hanno un orario fisso, ma cambiano in base alla stagione. Per trovare l'ora precisa a cui devi essere presente, puoi usare uno dei tanti siti, o una App di meteorologia. Non sei obbligato a rimanere sveglio. Ma se vuoi fare una cosa davvero meravigliosa, puoi cercare di fare, tutte insieme, le Missioni 11, 12, 14 e 15!

 MISSIONE COMPIUTA!

Il mio punto panoramico era (luogo):

 Il valore della Missione
(dai un punteggio da 1 a 10)

Coraggio:. . . . .
Curiosità: . . . .
Cura:. . . . .
Costruire: . . . .
Divertimento: . . . . .

 Cosa ricorderai?

La tavolozza colorata del cielo, la doccia di raggi che fa pizzicare la pelle, la magia di un giorno che nasce e muore. E un gran sonno, questo sì.

 Il libro da leggere: *Ogni giorno*, di David Levithan.

SEMINARE UNA PIANTA

Questa Missione non è per niente facile come può sembrare! Ma ti regalerà interessanti benefici collaterali, come ad esempio qualche foglia di basilico fresco con cui condire la pizza.

Scegli una pianta o un fiore da seminare. Se non hai né un giardino né un balcone, puoi provare a seminarla sul davanzale della finestra. Tieni presente che non tutte le piante vanno seminate nello stesso periodo dell'anno: per esempio, il basilico va seminato a primavera inoltrata, quindi tra aprile e maggio.

Non è necessario avere un vaso: va bene anche una vaschetta di plastica forata, come quelle che vendono al supermercato con l'insalata o i pomodori. Invece, ti serve un po' di terriccio (che puoi trovare sempre al supermercato, oppure in qualsiasi negozio di giardinaggio). E naturalmente ti servono i semi, anch'essi in vendita a un costo molto basso. Riempi il vaso o la vaschetta di terriccio, più o meno fino a metà. Poi spargi i semi e ricoprili con un altro strato di terriccio. Adesso devi annaffiarli: se possibile, non usare un bicchiere ma uno spruzzino o un annaffiatoio, in modo che l'acqua cada a gocce e non a filo, e disseti bene tutti i semi.

A questo punto, copri il recipiente con uno strato di pellicola trasparente. Ricorda di mettere un piattino sotto il recipiente, in modo che l'acqua con cui annaffi la pianta non goccioli giù.

Nel giro di una settimana circa, spunteranno i primi germogli. Appena li vedi, togli subito la plastica, che da questo momento non servirà più. Piano piano, le piantine continueranno a crescere. Esponile alla luce del sole,

e non dimenticare di annaffiarle con regolarità. Quando le piantine saranno alte 5-6 cm, elimina quelle più deboli (è inutile provare a farle crescere: si vede che non era il loro momento) e lascia che quelle più robuste diventino sempre più grosse e vigorose.

Ecco alcuni esempi di fiori che si possono seminare in vari momenti dell'anno:

- tra gennaio e marzo: papavero, fiordaliso, campanula, garofano;
- tra aprile e luglio: bocca di leone, primula, viola del pensiero, nontiscordardimé;
- tra settembre e dicembre: margherita, fresia, iris, anemone.

Quando semini una pianta o un fiore, fai attenzione a controllare le istruzioni di semina: ogni pianta ha le sue esigenze, che vanno rispettate con cura.

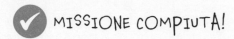 MISSIONE COMPIUTA!

Ho seminato una pianta di

il giorno

I primi germogli sono spuntati il giorno

 Il valore della Missione
(dai un punteggio da 1 a 10)

Coraggio:.........

Curiosità: ....

Cura:............

Costruire: ....

Divertimento: .....

 Cosa ricorderai?

I profumi, la delicatezza dei germogli tra le dita, la gioia di vedere crescere qualcosa grazie a te.

 Il libro da leggere: *Il giardino segreto, di Frances Hodgson Burnett.*

COSTRUIRE UNA FIONDA

Ed eccoci arrivati all'oggetto principe del discolo, al trofeo del ragazzo di strada, allo scettro del malandrino. È facile da costruire e per farlo si possono usare materiali poverissimi, dal costo irrisorio o addirittura nullo. Più difficile è imparare a tirare e colpire il bersaglio.

Per riuscire in questa Missione dovrai fare entrambe le cose, costruire e centrare, dimostrando tutta la tua abilità nel lancio dei proiettili.

Per realizzare una fionda hai bisogno di un bastoncino biforcato come la lettera Y. Cercalo in un parco, in un bosco o persino in un cortile.

Il legno migliore sarebbe quello d'ulivo, ma va bene qualsiasi materiale tenace. Serve anche un pezzetto di cuoio per fabbricare la presa e un elastico. Per l'elastico va bene un laccio emostatico, di quelli che si usano per le iniezioni e che trovi in farmacia.

La presa (cioè la parte in cui posi la pietra per lanciarla) è invece un pezzetto di cuoio abbastanza grande per ospitare, piegato in due, un sasso grande come la punta del pollice. Deve avere due fori ai lati per farci passare gli elastici. Puoi recuperare il cuoio da una vecchia scarpa o borsa.

Quando avrai trovato il pezzo di legno giusto, devi scortecciarlo e pulirlo bene. Poi dovrai inciderlo vicino alle punte della Y creando una sede dove annodare l'elastico.

Quando il legno è pulito e lavorato, mettilo per cinque minuti nel forno a 200 °C. Il forno farà asciugare le fibre, accelerando la stagionatura. Quando comincerà a prendere colore e sentirai un intenso profumo di legno cotto è il momento di tirarlo fuori. Attento a non scottarti!

Ora lascialo raffreddare, lega stretto l'elastico ai capi della Y, quindi prepara la presa con due fori e lega l'altro capo degli elastici lì.

Fai in modo che gli elastici abbiano la stessa lunghezza, o la tua fionda non tirerà mai dritto!

Una volta fatta, puoi cominciare a tirare le prime pietre. Con grande cautela. La fionda va tenuta con la tua mano debole e l'elastico va tirato con quella forte. Ti consigliamo caldamente di indossare un guanto sulla mano che tiene la fionda, perché all'inizio è molto facile lanciarsi la pietra direttamente sulle dita. Puoi anche indossare un paio di occhiali di plastica, perché a volte l'elastico si rompe - dritto sugli occhi.

Fai un po' di esercizio in un luogo deserto, o contro un vecchio muro. Bada sempre di tirare in condizioni di sicurezza: solo gli stupidi rischiano che qualcuno si faccia male.

 MISSIONE COMPIUTA!

 Il valore della Missione
(dai un punteggio da 1 a 10)

Coraggio:. . . . .
Curiosità: . . . .
Cura:. . . . .
Costruire: . . . .
Divertimento: . . . . .

 Cosa ricorderai?

La possibilità di colpire ciò che è al di là della tua portata, lo schiocco di una lattina che si piega come carta, la scoperta che tutto è vicino, se ti allunghi abbastanza per raggiungerlo.

 Il libro da leggere: *Le avventure di Tom Sawyer, di Mark Twain.*

COLPIRE UN BARATTOLO A DIECI PASSI

Adesso che hai una fionda personale (costruita nella Missione 17), ecco un modo per usarla. Ma se preferisci puoi compiere questa Missione anche a mani nude.

Cerca un posto ampio e isolato, magari in campagna.

Prendi un barattolo (o lattina) vuoto. Appoggialo su uno scatolone, una cassa o un masso (se ne vedi uno abbastanza alto) e prova a colpirlo da una distanza di cinque passi. Facile, vero? Beh, arretra di altri cinque passi. Ora sì che il gioco si fa duro.

Ce l'hai fatta? Fortuna del principiante. Potrai depennare questa Missione solo dopo avere colpito il bersaglio per cinque volte di fila.

MISSIONE COMPIUTA!

 Il valore della Missione
(dai un punteggio da 1 a 10)

Coraggio:. . . . .

Curiosità: . . . .

Cura:. . . . .

Costruire: . . . .

Divertimento: . . . . .

Cosa ricorderai?

I tentativi andati a vuoto, la fatica nel braccio e nelle spalle, il cuore che salta quando finalmente colpisci il bersaglio.

 Il libro da leggere: *Robin Hood*, di Alexandre Dumas.

ROTOLARE GIÙ DA UNA COLLINA ALTISSIMA

Qualsiasi esploratore sente la necessità di arrivare sulla vetta più alta. Dove più su non si può andare, dove il panorama taglia il fiato. Dove la vista spazia su un territorio sterminato su cui, tra le nuvole, volano i sogni di tutti.

È per questo che migliaia di alpinisti rischiano la vita per raggiungere la vetta dell'Everest: una montagna affascinante, impegnativa, pericolosa... e, soprattutto, la più alta del mondo.

Per completare questa Missione non hai bisogno di andare fino in Nepal o assoldare una squadra di sherpa. Trova un'alta collina nella tua zona e inerpicati fino alla cima. Dev'essere proprio il punto più alto, non accettare niente di meno.

Ora goditi il momento, lascia che il panorama ti trafigga come una freccia ben scoccata. Chiudi gli occhi, respira l'altezza.

E poi, quando sarà il momento di scendere, scendi con classe: trova una scarpata sgombra e pulita, oppure un prato con una forte pendenza. Dev'essere uno spazio libero, senza pietre o altri ostacoli. Controlla bene perché potresti farti molto male, o finire su una cacca di vacca. Quindi vai alla partenza, insalsicciati (cioè stenditi a terra supino, con le braccia lungo il corpo e le gambe dritte e unite), lancia un grido belluino e rotola giù.

Se c'è qualche amico con te, fate a gara a chi arriva prima in fondo. Chi vince starà alla testa della fila durante le spedizioni.

 MISSIONE COMPIUTA!

Ferite riportate / abiti distrutti

Il valore della Missione
(dai un punteggio da 1 a 10)

Coraggio: . . . .
Curiosità: . . . .
Cura: . . . .
Costruire: . . . .
Divertimento: . . . . .

 Cosa ricorderai?

Il mondo visto più grande e sterminato, il formicolio alla pancia quando stai per rotolare giù, la testa che gira e gira e gira.

 Il libro da leggere: *La collina dei conigli*, di Richard Adams.

FOTOGRAFARE 3 ANIMALI SELVATICI

Prima di bere, il capriolo alza le orecchie, tende il collo e irrigidisce i muscoli. Sta per abbassare la guardia e ha bisogno di sapere che può farlo, che nessuno lo disturberà mentre si abbandona alla sete.

Due cinghiali che litigano sembrano due ubriachi usciti da una rissa da bar. Grugniscono, ansimano, caracollano con il grosso muso zannuto per colpire l'avversario dove c'è spazio, dove è più rapido, dove si può.

Per immortalare questi momenti, e catturare l'immagine di un animale selvatico che non vuole farsi vedere, ti servono tre cose: una macchina fotografica, un buon punto di osservazione e tanta, tanta pazienza.

Per completare questa Missione devi trovare 3 animali selvatici e fotografarli di nascosto.

 **MISSIONE COMPIUTA!**

Gli animali che ho fotografato sono:

1.

2.

3.

 Il valore della Missione
(dai un punteggio da 1 a 10)

Coraggio: . . . .
Curiosità: . . . .
Cura: . . . .
Costruire: . . . .
Divertimento: . . . . .

 Cosa ricorderai?

L'emozione dell'agguato, l'attesa, il silenzio, la pazienza. E in certi casi, la paura!

 Il libro da leggere: *L'occhio del lupo*, di Daniel Pennac.

SEGUIRE IMPRONTE IN UN BOSCO

I boschi sono vivi. Le storie degli animali si incontrano e si raccontano l'un l'altra, scandite dai ritmi naturali del giorno e della notte. La ricerca del cibo è la spinta principale che fa muovere bestie grandi e piccole. Le ore di punta del bosco sono quelle della prima parte della notte e quelle a ridosso dell'alba.

Un occhio allenato è capace di notare i segni del passaggio degli animali. Vuoi capire di chi sono quelle orme che si perdono nella boscaglia? Allora buttati in questa Missione e, magari, approfittane per completare anche la Missione 20!

Ecco quel che c'è da fare. Indossa scarpe alte, che proteggano bene la caviglia, calzettoni spessi, pantaloni lunghi e corri a frugare nel sottobosco per rintracciare le impronte di qualche animale.

Se l'orma ha i contorni netti ed è bella nitida, allora è fresca. Molto dipende dall'umidità del terreno, ma dopo un po' i bordi delle orme tendono sempre a rompersi e a ricadere all'interno come salvagenti sgonfiati.

Trovi qui illustrate le orme degli animali più comuni che vivono in un bosco: il capriolo, il riccio, la lepre, il cinghiale e la volpe.

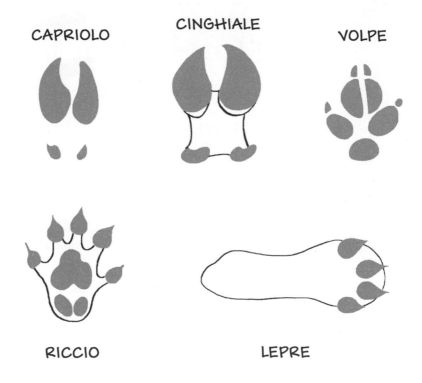

CAPRIOLO

CINGHIALE

VOLPE

RICCIO

LEPRE

 **MISSIONE COMPIUTA!**

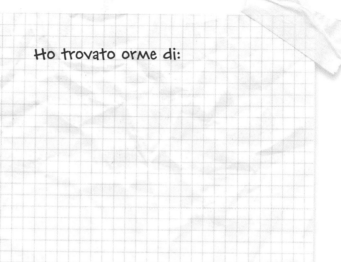

Ho trovato orme di:

 Il valore della Missione
(dai un punteggio da 1 a 10)

Coraggio:. . . . .
Curiosità: . . . .
Cura:. . . . .
Costruire: . . . .
Divertimento: . . . . .

 Cosa ricorderai?

La curiosità e lo smarrimento, i profumi intensi di terra e cortecce, il girovagare apparentemente senza senso di certi animali, l'enigma di tane e tracce che non riesci a decifrare.

 Il libro da leggere: *Il vento tra i salici*, di Kenneth Grahame.

ADULTO PRESENTE!

ACCENDERE UN FUOCO

Se fuori tira vento, c'è la neve, o siamo scossi da brividi di febbre, basta alzare un po' il riscaldamento per stare subito meglio. Abbiamo risolto un problema che gli esseri umani hanno da sempre: scaldarsi quando fa freddo.

Ma quando siamo lontani dalla civiltà, sugli altipiani del deserto dei Gobi, sui sentieri delle Ande o in campeggio tra le nostre montagne, dobbiamo tornare ai sistemi antichi e collaudati.

Accendere un fuoco non serve solo per scaldarsi. È indispensabile per cucinare, per tenere lontani gli animali e per illuminare il campo nelle notti senza Luna.

Bisogna sapere come accenderlo e spegnerlo, come usarlo e domarlo. Essenziale per avere un bel fuoco è la *preparazione*. Scegli un luogo riparato, dove il vento non arriva. Spazza il terreno e liberalo da rametti o foglie secche. Componi un cerchio di pietre e scava una piccola fossa al centro: quello diventerà il tuo focolare.

Il combustibile più comune è la legna. Vagando per i boschi troverai molti alberi caduti o secchi, perfetti per il tuo fuocherello. Servono pezzi di varie dimensioni, dai rametti più sottili a tronchi più grossi (se sono troppo grossi andranno spaccati).

Per accendere un fuoco serve un'esca, cioè una manciata di materiale che prende fuoco facilmente. La paglia va benissimo, schegge di legno, piume, segatura (come quella prodotta dai tarli), ma anche patatine (sì, quelle nel sacchetto), batuffoli di cotone imbevuti di vaselina o escrementi secchi di animali.

Costruisci una capannetta di rami sottili e inserisci l'esca al centro.

Per incendiarla puoi usare vari sistemi. Gli accendini sono la soluzione più comoda (li usano anche gli esperti di sopravvivenza), così come i fiammiferi (un piccolo trucco: puoi far cadere una goccia di cera di candela sulle capocchie per renderli impermeabili e fare sì che funzionino anche se sono caduti in acqua).

Oppure, puoi usare una lente di ingrandimento. Devi inclinarla in modo da concentrare i raggi solari in un punto dell'esca e restare immobile. Dopo poco tempo vedrai sprigionarsi un filo di fumo: a quel punto soffia delicatamente sull'esca per aiutare l'accensione.

IMPORTANTE

In molte parti d'Italia è vietato accendere fuochi. Nei parchi naturali puoi trovare punti attrezzati in cui è consentito il fuoco per cucinare. A volte il divieto è limitato al periodo estivo, quando il pericolo di incendi è maggiore: informati sul regolamento in vigore in quella zona, prima di combinare guai.

 MISSIONE COMPIUTA!

 Il valore della Missione
(dai un punteggio da 1 a 10)

Coraggio: . . . .
Curiosità: . . . .
Cura: . . . .
Costruire: . . . .
Divertimento: . . . . .

 Cosa ricorderai?

La sensazione di ridare vita al rito antichissimo dell'andare nel bosco a fare legna, la scelta dei rami da bruciare, la lunga preparazione del focolare, lo scoppiettio del fuoco appena acceso, il calore che pizzica le guance.

 Il libro da leggere: *Nelle terre selvagge*, di Gary Paulsen.

ADULTO PRESENTE!

IMPARARE A RICONOSCERE I FUNGHI

Nel Paleolitico, un periodo molto, molto lontano nel tempo, non esistevano né fabbriche né uffici, né scuole né allevamenti. Chi ha vissuto quel periodo non andava a lavorare, non guadagnava soldi, non poteva comprarsi da mangiare. E allora, come facevano a sopravvivere?

Gli uomini dell'epoca erano cacciatori e raccoglitori. Significa che andavano a spasso per le foreste alla ricerca di selvaggina o frutta (ma anche bacche e fiori). E provavano a mangiarla. La vita era molto fragile e bastava una giornata sfortunata per restare a pancia vuota.

Ancora oggi ci sono persone che vivono in questo modo. I Pigmei, per esempio. O i Boscimani. Puoi cercare di imitare quello stile di vita imparando a conoscere meglio le cose che, nella natura, si possono mangiare (e sono buone!). Ad esempio, i funghi.

I funghi sono organismi del tutto speciali. Non sono considerati vegetali, perché non hanno la clorofilla. A volte si nutrono di materia organica in decomposizione; altre si mettono d'accordo con un albero e vivono in simbiosi scambiandosi sostanze nutritive. Ci sono quelli che appaiono negli angoli umidi delle case sotto forma di muffa, e ci sono quelli che crescono nei prati pronti per essere mangiati. A noi, però, interessa solo riconoscerli e non coglierli.

Ecco le specie di funghi più comuni: cercale nel bosco e annota le tue scoperte.

CHIODINI

PORCINI

ORECCHIONI

PRATAIOLI

 **MISSIONE COMPIUTA!**

Ho trovato questi funghi:

E questi tesori:

 Il valore della Missione
(dai un punteggio da 1 a 10)

Coraggio: . . . .
Curiosità: . . . .
Cura: . . . .
Costruire: . . . .
Divertimento: . . . . .

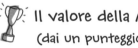 **Cosa ricorderai?**

Il profumo intenso e muffoso dei funghi. La terra autunnale che cede morbida sotto i piedi. I passi sopra un tappeto di foglie, la sorpresa quando trovi ciò che stavi cercando.

 Il libro da leggere: *La saga degli Sgraffignoli*, di Mary Norton.

MISSIONE 24

COSTRUIRE UN PUPAZZO DI NEVE

A chi non piace rotolarsi sul letto quando c'è un soffice piumone? Ecco, la neve è la coperta che la natura si rimbocca quando schiaccia un pisolino. Se stiamo attenti a non disturbarla, ci lascerà giocare col suo piumone finché vogliamo.

Vestito di tutto punto, armato di una pala per la neve, esci fuori. Stai per costruire qualcosa che durerà fino al disgelo.

Quanta neve ci vuole per fare un pupazzo di neve? Tanta, tantissima, più di quanto pensi. Bisogna comporre tre sfere: una molto grande, una media e una più piccola. La neve va schiacciata il più possibile, compressa e battuta finché non è bella dura. Per questo ce ne vuole moltissima! La sfera più grande è la base del pupazzo: la sua pancia e le sue gambe. Quella intermedia rappresenta il petto e le spalle, mentre quella più piccola è la testa. Vanno posizionate una sopra l'altra, in equilibrio. Se non reggono bene, puoi infilarle su un bastone, che diventerà la spina dorsale del pupazzo.

Ora mancano le braccia, ricavate da due lunghi rami, e la faccia: nei cartoni animati ci mettono una carota come naso, due pezzetti di legno bruciacchiato come occhi, un vecchio cappello per ripararlo dal vento. Ma la carota se la mangiano subito gli uccelli, quindi è meglio un rametto.

Cosa useresti per la bocca? E che nome gli daresti?

 MISSIONE COMPIUTA!

 Il valore della Missione
(dai un punteggio da 1 a 10)

Coraggio:.........
Curiosità: ....
Cura:............
Costruire: ....
Divertimento: .....

 Cosa ricorderai?

Il freddo, il bianco, la fatica di dare forma a una montagna di fiocchi gelati.

 Il libro da leggere: *Odd e il Gigante di Ghiaccio*, di Neil Gaiman.

COSTRUIRE UN IGLOO

Costruire un appartamento da Inuit (piccolo popolo dell'Artico che vive nel gelo tutto l'anno) è più facile di quanto sembri. La materia prima fondamentale è la neve, meglio se ghiacciata. Quindi puoi unire questa alla Missione 24.

Crea tanti mattoni di neve, schiacciandola e modellandola. Se vuoi, puoi aiutarti con una pala o con una cassetta di legno senza fondo, per dare loro la forma.

I blocchi vanno poi disposti in cerchio, accostati uno all'altro. Resteranno spicchietti vuoti, che dovrai riempire con neve sfusa. A questo punto disponi un'altra fila di blocchi sopra a quelli che hai già messo e spostali leggermente verso il centro del tuo cerchio. Prosegui disponendo una fila di blocchi sopra l'altra, stringendo sempre di più la struttura a mano a mano che sali verso l'alto.

Quando sarai arrivato abbastanza in cima, crea un pezzo di neve rotondo, da usare come "tappo". Il tuo igloo sta in piedi? Bravissimo!
È il momento di aprire l'ingresso e di uscire fuori!

Disegna un arco grande abbastanza da poterlo attraversare carponi. Ora taglia i contorni con un bastone, o il coltellino e getta via la neve che riempie l'arco. Gli Inuit si proteggono dal vento fabbricando anche un piccolo tunnel d'ingresso, sotto la neve. Ma non è indispensabile.

L'igloo è ora completo. Come lo arrederai?

 MISSIONE COMPIUTA!

Fai qui uno schizzo del tuo igloo, per non dimenticarlo.
Se è venuto un po' storto, non preoccuparti:
i lavori imperfetti sono quelli più affascinanti.

Il valore della Missione
(dai un punteggio da 1 a 10)

Coraggio: . . . .
Curiosità: . . . .
Cura: . . . .
Costruire: . . . .
Divertimento: . . . . .

 Cosa ricorderai?

Le guance infiammate dal freddo, la neve che morde le mani, la costruzione che prende forma un mattone dopo l'altro e le grida di esultanza quando avrai completato l'opera. E ti accorgerai di esserti chiuso dentro.

 Il libro da leggere: *Il richiamo della foresta*, di Jack London.

FARE UNA CORSA CON LA SLITTA

Ti ricordi la collina della Missione 19? Tornaci in inverno, con una slitta, e scivola giù senza travolgere nessuno (questa è la parte più difficile).

Se la slitta non ti piace o non riesci a procurartene una, puoi anche usare un bob o un ciambellone. L'importante è che tu sia ben coperto e imbottito, così da ammortizzare le ovvie cadute che farai.

E se scivolare giù per il pendio ti sembra troppo facile, armati di pala e costruisci un trampolino. Devi fabbricarlo verso il fondo della discesa (per arrivarci a tutta velocità), e immaginare come fermarti, una volta che sarai in volo. Raccogli un bel mucchio di neve e battila finché non è solida come pietra.

E ora, coraggio! Quanto lontano riesci a saltare?

MISSIONE COMPIUTA!

 Il valore della Missione
(dai un punteggio da 1 a 10)

Coraggio: . . . .

Curiosità: . . . .

Cura: . . . .

Costruire: . . . .

Divertimento: . . . . .

 Cosa ricorderai?

Il vento gelido che schiaffeggia il viso, il respiro affannoso della risalita, i capitomboli dell'atterraggio finito male.

Il libro da leggere: *Heidi*, di Johanna Spyri.

DARE BATTAGLIA

Per combattere una vera battaglia bisogna essere in tanti. Più si è, meglio è. Dare battaglia risveglia i tuoi istinti primordiali, le tue emozioni preistoriche, quando ogni giorno rischiavi la vita per uscire dalla caverna. Durante la battaglia i sensi si acuiscono, vedi e senti meglio, il tuo cervello lavora freneticamente e riesci a percepire movimenti e suoni altrimenti impercettibili. E non è solo il cervello a funzionare di più: il cuore batte all'impazzata, pompando sangue e adrenalina a tutti i muscoli. Corri! dice, e i muscoli si sbrigano a obbedire. Attento! È un agguato! ribadisce, e tu scatti per evitare il pericolo. Attacchi e vieni attaccato. Colpisci e sei colpito.

Ma nessuno si fa male davvero. E, quando tutto è finito, ci si abbraccia da veri amici.

REGOLE SPECIALI DELLA BATTAGLIA

- non colpire l'avversario per fargli male;
- fermarsi non appena viene chiesta l'interruzione;
- accorgersi se qualcuno è in difficoltà e aiutarlo.

La battaglia d'inverno

La più incredibile battaglia che si possa fare d'inverno è quella a palle di neve. Aspetta che il cielo scrolli giù un bel po' di fiocchi e poi dai appuntamento ai tuoi amici in un luogo dove non vi sia nessun altro: va bene un parcheggio vuoto, oppure un campetto. Contatevi e dividetevi in almeno due squadre (vedi Appendici sui sorteggi), sparpagliatevi e datevi un quarto d'ora di tempo per costruire i Castelli.

I Castelli sono i vostri rifugi, che dovrebbero proteggervi dagli attacchi nemici. Uno dei Castelli può diventare la Casa, ovvero chi ci sta dietro non può essere colpito dagli avversari. I Castelli non possono essere abbattuti che con palle di neve (non valgono cariche e sfondamenti, quindi): dovrebbero essere abbastanza alti da ripararti completamente quando ti accucci e abbastanza larghi per due o tre compagni di squadra.

Poi bisogna preparare le munizioni. Cioè le palle di neve. Ce ne vogliono tante, tantissime, ammucchiate dietro ai Castelli. Devono stare comode nella mano, pronte per essere lanciate. Bisogna schiacciarle un po', ma non troppo, altrimenti diventano dure come sassi. Si tira per colpire, non per fare male, altrimenti si sospende la battaglia. Altre regole non ci sono: bisogna coprire gli avversari di colpi, cercando di evitare i Castelli. Chi è colpito dovrebbe fingersi morto e uscire dal gioco, ma non contateci troppo. È più probabile che andrete avanti fino all'ultimo fiocco di neve. E non preoccupatevi se qualcuno, vedendovi, si unisce alla battaglia: la più grande battaglia a palle di neve del mondo si combatté a Seattle, negli Stati Uniti, tra 5834 castelli. Siete capaci di fare di meglio?

La battaglia a palle di neve è una delle nostre preferite, ma con la bella stagione tu e i tuoi amici potete sfidarvi anche con le pistole ad acqua e i gavettoni; oppure, quando fuori fa freddo ma non c'è ancora neve, potete rifugiarvi in un garage o in una stanza sgombra, e provare la battaglia dei cuscini. C'è solo una cosa da ricordare: le regole speciali sono valide per tutte le battaglie!

 **MISSIONE COMPIUTA!**

Ferite riportate / abiti distrutti

 Il valore della Missione
(dai un punteggio da 1 a 10)

Coraggio:.........
Curiosità: ....
Cura:...........
Costruire: ....
Divertimento: .....

Cosa ricorderai?

Doverti muovere così in fretta da non avere neanche il tempo di pensare, essere colpito quando non te l'aspettavi, e un sacco di risate. Ma proprio un sacco.

 Il libro da leggere: *La guerra dei bottoni*, di Louis Pergaud.

ANDARE A CACCIA DI FOSSILI

Mettiamo le cose in prospettiva: tu hai meno di tredici anni.

La televisione è stata inventata meno di cento anni fa.

L'America è stata scoperta circa cinquecento anni fa.

La scrittura è stata inventata circa cinquemila anni fa.

I fossili risalgono ad almeno due milioni di anni fa.

La Terra è piuttosto stagionata coi suoi 4570 milioni di anni. Circa.

I fossili sono resti pietrificati di esseri viventi. Dinosauri, molluschi, fiori, semi e perfino organismi unicellulari (cioè composti da una sola cellula, come certe alghe e certi funghi). Sono fotografie di un tempo lontanissimo, così lontano da essere difficile da immaginare.

La formazione di un fossile è molto rara: devono sussistere particolari condizioni per evitare che, dopo la morte, si attivi la decomposizione. Quando accade, invece di marcire e disintegrarsi, la materia organica si pietrifica e resta sottoterra per milioni di anni, in attesa che qualcuno la scopra. E quel qualcuno potresti essere tu.

Per compiere questa Missione devi armarti di una macchina fotografica (anche il cellulare va benissimo) e trovare un luogo in cui i fossili affiorano dalle rocce. Puoi trovarli nelle "colline sezionate" (cioè le colline tagliate in due dalle frane o dalle ruspe), sulle rive dei fiumi ricche di rocce sedimentarie (cioè erose dai venti e dalle acque), nelle grotte e sulle spiagge meno frequentate.

Trova almeno un fossile e scatta una foto. Prometti che non lo raccoglierai.

I fossili sono rari e delicati, e vanno lasciati nel luogo in cui si trovano.

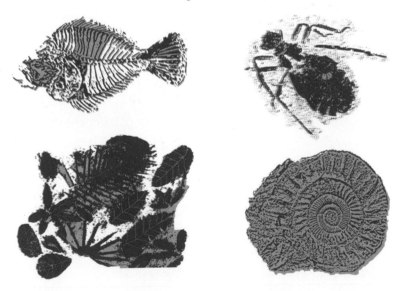

 **MISSIONE COMPIUTA!**

Il fossile che ho trovato è fatto così:

 Il valore della Missione
(dai un punteggio da 1 a 10)

Coraggio:. . . . .

Curiosità: . . . .

Cura:. . . . .

Costruire: . . . .

Divertimento: . . . . .

 Cosa ricorderai?

Di avere guardato attraverso il tempo.

Il libro da leggere: *Viaggio al centro della Terra, di Jules Verne.*

FONDARE UN CLUB SEGRETISSIMO

Nessuno deve sapere che stai lavorando a questa Missione. Nessuno.

Leggi queste pagine di nascosto. Magari sotto le coperte, illuminandole con una torcia elettrica. Oppure rifugiati su un albero, come nella Missione 9.

Un club segreto non è uno scherzo. Se poi è SEGRETISSIMO dovrai usare tutte le precauzioni necessarie per tenerlo nascosto. Basta un passo falso per farti scoprire e mandare tutto all'aria.

Discuti con alcuni amici la possibilità di fondare il club. Devono essere amici fidati, anzi, fidatissimi. Persone a cui affideresti la tua vita. Potete parlarne a scuola, ma è rischioso. Lì anche i muri hanno orecchie. Meglio trovarsi a casa di qualcuno e chiudersi in camera.

Eleggete un Presidente che abbia la facoltà di dare e togliere la parola e di indire votazioni. Le cose vanno decise a maggioranza.

All'ordine del giorno bisogna mettere:

1- *Scegliere il nome del club.* Dev'essere un nome pieno di fascino e mistero. Non fa niente se nessuno lo scoprirà mai. Voi, membri segreti del club segreto, lo conoscete.

2- *Stilare lo statuto.* Nello statuto dovete indicare quali sono gli obiettivi del club. Per esempio combattere i nemici, smascherare le bugie, difendere i più deboli e le vittime di ingiustizie... Cercate di prevedere ogni possibilità, votatela in riunione e, se passa a maggioranza, scrivetela nello statuto. Nello stesso documento dovete indicare anche chi sono i soci fondatori che poi dovranno firmare il documento. Il presidente custodirà l'originale.

3- *Scrivere il giuramento.* Per entrare nel club i membri dovranno prestare giuramento. Dev'essere fatto all'incirca così: *"Giuro solennemente di rispettare le leggi del club, di mantenere segreta la mia iscrizione e quella degli altri e di impegnarmi al massimo nelle mie mansioni. Che mi possa cadere la lingua se ho mentito".*

Il giuramento va letto con solennità alla luce di una candela, e tutti i membri devono essere presenti.

4- *Disegnare le tessere.* Servono come documento di riconoscimento. Prendete dei cartoncini grandi come biglietti da visita e scriveteci grosso il nome del club. Poi il nome dell'iscritto e infine la dicitura "MEMBRO SEGRETO".

5- *Decidere la parola segreta.* Da usarsi per accedere al rifugio (se ce l'avete) o alle riunioni segrete.

Tra le possibili attività del club ci sono anche le Missioni di questo libro. Condividilo con gli altri. Organizzate una caccia al tesoro per i non-membri (Missione 7) per vedere se sono abbastanza svegli da diventarlo, o dormite tutti insieme in un posto pericoloso (Missione 11). Fidatevi gli uni degli altri. Aiutatevi a vicenda.

Insieme farete grandi cose.

 MISSIONE COMPIUTA!

Questo club è segreto, quindi non lasciare scritto nulla.

 Il valore della Missione
(dai un punteggio da 1 a 10)

Coraggio:. . . . .
Curiosità: . . . .
Cura:. . . . .
Costruire: . . . .
Divertimento: . . . . .

 Cosa ricorderai?

Le interminabili discussioni per decidere il nome. I pomeriggi trascorsi tutti insieme nel compimento di una Missione. Il sospetto della presenza di un traditore quando in giro si verrà a sapere del vostro club.

 Il libro da leggere: *Harry Potter e l'Ordine della Fenice,* di J.K. Rowling.

SCRIVERE UN MESSAGGIO SEGRETO

Hai fondato il club segreto della Missione 29?
Allora hai bisogno di un sistema per comunicare segretamente con gli altri iscritti. Gli SMS non valgono! C'è sempre il rischio che il tuo cellulare finisca nelle mani sbagliate.

La necessità di inviare messaggi segreti è sempre esistita. Pensa ai generali che devono mandare gli ordini agli ufficiali durante le battaglie: il nemico non deve conoscere in anticipo questi ordini, altrimenti vincerebbe facilmente. Gli antichi ambasciatori romani tatuavano il messaggio sulla testa nuda di uno schiavo. Quando i capelli gli ricrescevano poteva essere inviato a destinazione, dove lo avrebbero tosato per leggere il messaggio.

Un sistema lento, inutile nell'epoca di Internet. Anche perché è difficile avere sottomano qualcuno che si lasci rapare due volte e tatuare un messaggio sulla testa. Ti proponiamo un sistema più rapido e interessante: il Cifrario di Cesare.

Sai perché si chiama così? Perché lo usava Giulio Cesare. Con questo sistema puoi rendere illeggibile un messaggio agli occhi di chi non conosce la chiave per decifrarlo.

Guarda questa tabella:

A	B	C	D	E	F	G	H	I	J	K	L	M	N	O	P	Q	R	S	T	U	V	W	X	Y	Z
E	F	G	H	I	J	K	L	M	N	O	P	Q	R	S	T	U	V	W	X	Y	Z	A	B	C	D

Noti qualcosa di particolare?
La seconda riga è in ordine alfabetico come la prima, ma le lettere sono spostate avanti di quattro posti. Cesare le spostava in avanti solo di tre, ma noi non vogliamo che Cesare o i suoi sappiano decifrare i nostri messaggi e quindi abbiamo cambiato.

Per cifrare il tuo messaggio devi procedere così:
1. Scrivi il messaggio (es. CI VEDIAMO DOPO).
2. Usando la tabella sostituisci ad ogni lettera quella corrispondente nella riga in basso (es. GM ZIHMEQS HSTS).
3. Trascrivi il messaggio cifrato (es. sms o bigliettini) e spedisci.

Hai capito come funziona? Prova a decifrare questo messaggio:
FVEZS GM WIM VMYWGMXS.

Vuoi rendere il codice ancora più complicato? Mescola a caso le lettere della seconda riga. Solo chi ha la tua stessa tabella potrà decifrare il messaggio!

 MISSIONE COMPIUTA!

Scrivi un messaggio segreto
che solo tu e il tuo club potete decifrare.

 Il valore della Missione
(dai un punteggio da 1 a 10)

Coraggio:. . . . .
Curiosità: . . . .
Cura:. . . . .
Costruire: . . . .
Divertimento: . . . . .

 Cosa ricorderai?

La trasformazione sotto i tuoi occhi di un testo illeggibile che, una lettera dopo l'altra, diventa un messaggio di senso compiuto. L'eccitazione, il segreto, l'intrigo.

 Il libro da leggere: *Kim*, di Rudyard Kipling.

PEDINARE UN AMICO SENZA CHE SE NE ACCORGA

Inutile nasconderlo: pedinare una persona è tra le attività meno eccitanti che si possano intraprendere. Ci vuole un sacco di pazienza, bisogna consumarsi le scarpe e la maggior parte delle volte non si scopre niente di interessante.

Eppure è l'attività di sorveglianza più antica e importante, e l'agente di un club segreto deve impararla.

Il pedinamento consiste nel seguire un soggetto per scoprire dove va e chi incontra. Il soggetto non deve accorgersi di essere seguito o il pedinamento sarà inutile.

Scegli qualcuno che ti è familiare. Magari un compagno di classe di cui non conosci l'indirizzo. Il pedinamento comincerà appena finita la scuola, quando tornerà a casa.

Non perderlo mai di vista, ma resta a distanza. Non devi farti vedere. Restagli sempre alle spalle e non guardarlo mai direttamente. Porta con te un berretto che metterai e toglierai ogni tanto. Ci vorrebbe anche un giubbotto di riserva, da indossare per simulare un travestimento.

Tieni con te un taccuino in cui annoterai ciò che fa il soggetto e le persone che incontra. Ricorda di annotare l'ora con grande precisione.

Per esempio: *Ore 13.11 - Il soggetto attraversa i tornelli della metro. Ha l'abbonamento.*

Quando avrai scoperto il suo indirizzo potrai depennare questa Missione dal tuo elenco.

Fai attenzione! A nessuno piace essere seguito. Porta con te questo libro. Se ti pescano puoi mostrare questa pagina per spiegare cosa stai facendo.

Ma è meglio se non ti fai beccare.

 MISSIONE COMPIUTA!

Ho seguito (nome e cognome)

e ho scoperto che abita in (indirizzo)

... e ho scoperto anche che...

 Il valore della Missione
(dai un punteggio da 1 a 10)

Coraggio:. . . . .
Curiosità: . . . .
Cura:. . . . .
Costruire: . . . .
Divertimento: . . . . .

 Cosa ricorderai?

Le attese interminabili, la paura di essere scoperto, la sensazione di essere più furbo del soggetto seguito.

 Il libro da leggere: *Le avventure di Sherlock Holmes, di Arthur Conan Doyle.*

ESPLORARE UN VECCHIO RUDERE MISTERIOSO

Hai notato quella vecchia villa in collina? Si dice che sia infestata di fantasmi. Il faro abbandonato sulla scogliera? Nelle notti più buie si accende un lumino, nella guardiola.

Quella cascina diroccata nel bosco? Hanno visto un demone aggirarsi laggiù.

Voci che non provano nulla, ma creano fascino e mistero.

Per compiere questa Missione dovrai esplorare un rudere misterioso.

Alcuni consigli di sicurezza: gli edifici abbandonati sono estremamente pericolosi. I lunghi anni di incuria possono avere indebolito la struttura e magari basta solo il tuo peso per far crollare un pavimento. Cammina sempre rasente ai muri, dove il pavimento è più robusto, o non entrare affatto, se vedi troppe crepe sulle pareti.

Muoviti con prudenza e non restare mai da solo. Tieni i tuoi compagni a portata di voce. Porta con te una torcia elettrica e fai in modo che qualcuno, a casa, sappia dove sei. Se vedi polvere o muffa, trattieni il respiro ed esci subito: non si sa mai, potrebbero essere velenosissime. Se sopravvivi, però, è una gran bella cosa da raccontare.

E scatta tante foto: chissà che il flash non catturi qualcosa che a occhio nudo ti era sfuggito...

Buona caccia ai fantasmi!

 MISSIONE COMPIUTA!

Le cose più misteriose che ho visto:

Il valore della Missione
(dai un punteggio da 1 a 10)

Coraggio:........
Curiosità: ....
Cura:...........
Costruire: ....
Divertimento: .....

Cosa ricorderai?

Il pericolo, il rischio, l'odore inconfondibile dell'abbandono.

 Il libro da leggere: *Fantasmi da asporto*, di Eva Ibbotson.

IMITARE UN PERSONAGGIO FAMOSO
(E GIÀ MORTO)

La Storia non è solo date, luoghi e fatti. Prima di ogni altra cosa, la Storia è fatta di uomini e donne, di desideri e speranze, e anche di tanto sudore.

Scegli un personaggio della Storia che ti ha colpito. Alessandro Magno, Leonardo da Vinci, Giovanna D'Arco, Cristoforo Colombo... uno qualsiasi.

Cerca tutto ciò che riesci a scoprire sul suo conto. Com'era la sua famiglia, quali erano i suoi sogni quando era giovane, in cosa era bravo e in cosa era meno bravo. Scopri i segreti del suo carattere e del suo modo di pensare. E quello che non riesci a scoprire, inventalo. Fatti un'idea tua di com'era, di come si muoveva e di come parlava.

Se ne hai la possibilità, vai a vedere dove è nato e dove è morto.

Per esempio, sapevi che Giulio Cesare parlava di sé in terza persona? "A lui piace molto questo pasticcio di cinghiale." Prova a parlare come Cesare per un giorno intero: "Questi cereali sono molto buoni. Lui li mangerà tutti". Oppure: "Lui non ha nessuna voglia di fare i compiti. Andrà a giocare in cortile".

Se è un condottiero, vai a vedere dove ha vinto le sue battaglie. Se è un artista, vai a vedere le sue opere.

Poi, entra nei suoi panni e imitalo il più possibile. Immagina, sogna.

Per qualche giorno, comportati come il personaggio che hai scelto.

E alla fine rispondi a queste domande: cosa ti ha colpito del tuo personaggio? Che cosa lo ha reso grande, secondo te? Perché è entrato nella Storia? E come si può fare qualcosa di altrettanto grande?

 **MISSIONE COMPIUTA!**

**Per qualche giorno ho vissuto come
(nome del personaggio storico che hai scelto):**

 Il valore della Missione
(dai un punteggio da 1 a 10)

Coraggio: . . . .
Curiosità: . . . .
Cura: . . . .
Costruire: . . . .
Divertimento: . . . . .

 Cosa ricorderai?

La strana e fortissima emozione
di vestire i panni di qualcun altro.

 Il libro da leggere: *L'estate che conobbi il Che,*
di Luigi Garlando.

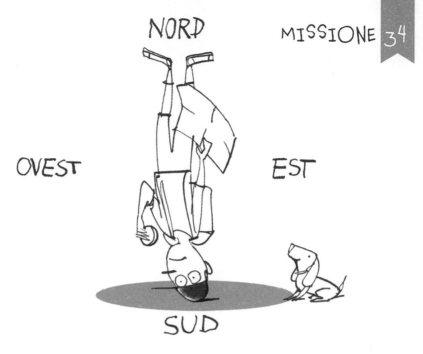

NORD

OVEST

EST

SUD

ORIENTARSI CON LA BUSSOLA E UNA MAPPA

Un territorio sconosciuto sembra fatto apposta per perdersi. Qual è il sentiero giusto? Quello che gira a destra, verso quello strano monte, oppure quello che svolta in discesa verso quel lago oscuro?

La bussola e le carte geografiche sono sempre state carissime compagne di viaggio degli esploratori. Hanno impedito per secoli (o ci hanno provato) che si prendessero strade sbagliate, e che si finisse in luoghi pericolosi. E per quei pochi esploratori coraggiosi che sono stati là, dove nessun uomo era mai stato prima, disegnare e aggiornare le mappe è stata una delle attività più importanti. La bussola, invece, è quello strumento che indica sempre il nord. È amica inseparabile delle carte geografiche e bisogna saperla usare bene.

La Missione consiste nel camminare per cento passi verso nord e poi duecento verso Est.

Per compiere questa Missione devi procurarti la mappa di un posto sconosciuto (ma non troppo distante da casa tua, altrimenti non riuscirai ad arrivarci), una bussola (se non ne hai una in casa, puoi trovarla nei negozi di sport e viaggi) e un bel po' di spirito avventuroso.

Ed ecco come devi fare.
Stabilisci un punto di partenza, distendi la mappa a terra o su una superficie piatta e posaci sopra la bussola.
Per convenzione, il nord sulle mappe corrisponde sempre al lato superiore della cartina. Per capire dove sei, quindi, devi posizionare la bussola di fianco a un lato della cartina, controllare l'ago magnetico della bussola e ruotare la cartina finché il suo nord non corrisponde a quello della bussola. Fatto? Ecco, questa è la direzione da seguire.
Mentre cammini, posa la bussola sul palmo della mano e tieni la mano davanti al torace: questa è la posizione corretta della bussola in movimento.
Buona esplorazione!

 **MISSIONE COMPIUTA!**

Punto di partenza:

Punto di arrivo:

 Il valore della Missione
(dai un punteggio da 1 a 10)

Coraggio:. . . . .

Curiosità: . . . .

Cura:. . . . .

Costruire: . . . .

Divertimento: . . . . .

 Cosa ricorderai?

Il momento in cui, raggiungendo la meta, la cartina che hai in mano si trasforma nel panorama che hai davanti.

 Il libro da leggere: L'isola misteriosa, di Jules Verne.

REDIGERE UN GIORNALINO O UN BLOG

Un tempo, sapere cosa stava accadendo dall'altra parte del mondo non era affatto facile. Le notizie viaggiavano a piedi o a dorso di mulo, attraverso i mercanti o i rari ambasciatori. Ci volevano mesi perché qualche fatto rilevante si venisse a sapere.

Oggi è possibile comunicare in tempo reale con qualsiasi luogo al mondo, Polo Sud compreso. I collegamenti satellitari fanno sì che parlare dal terrazzo con la dirimpettaia o chiacchierare con un marinaio in mezzo all'oceano sia la stessa cosa. Con un clic puoi sapere cosa accade a Hong Kong oppure guardare i pinguini imperatore in Nuova Zelanda attraverso una webcam.

Ma chi condivide tutte queste informazioni? Chi decide cosa vale la pena di essere raccontato e cosa no?

I giornalisti fanno proprio questo. Sono presenti sul posto. Vengono a sapere le cose e le scrivono, per farle conoscere anche agli altri. In fondo, un giornalista è un po' come un investigatore. Deve indagare per scoprire i fatti, e poi raccontarli agli altri.

Per compiere questa Missione dovrai redigere un giornalino o un blog. Non è per niente facile e ti invitiamo a coinvolgere la tua classe, se l'insegnante è d'accordo, i tuoi amici, oppure i membri segreti del club segreto della Missione 29.

Puoi scegliere tu il tema del tuo giornalino. Potresti raccogliere le notizie sulla scuola, sul condominio oppure sul quartiere.

Per iniziare, scrivi un articolo cercando di imitare quelli dei giornali o delle riviste. Informati bene sull'argomento che vuoi affrontare. Devi conoscerlo perfettamente per poterlo descrivere agli altri. Se devi intervistare qualcuno fagli un sacco di domande, cerca di capire cosa ti sta raccontando. Solo alcune delle informazioni che avrai raccolto finiranno nell'articolo, ma il risultato finale sarà comunque ricco e completo.

Se preferisci, invece di un giornalino, puoi aprire un blog su Internet. Un blog è una specie di diario che tutti possono leggere, solo che invece di essere fatto di carta, è sullo schermo dei computer. Puoi scrivere un blog dove raccogli tutte le bugie che senti. Puoi scrivere un blog su come stai affrontando le Missioni di questo libro, mettendo le tue impressioni, le sensazioni che hai provato e magari qualche immagine dell'evento.

Non farti spaventare dall'aspetto tecnico. Tenere un blog è semplicissimo e non è necessario essere bravi a usare i computer. Puoi iniziare iscrivendoti a un servizio gratuito come Blogger ed essere online, e quindi "vivo", nel giro di mezz'ora.

Una volta che hai aperto il tuo blog, devi tenerlo attivo, ovvero devi pubblicare nuovi articoli: almeno un articolo nuovo ogni settimana. Uno al giorno sarebbe perfetto.

Vuoi qualche consiglio sugli argomenti da trattare?
- Videogiochi
- Sport
- Musica
- Cinema

 MISSIONE COMPIUTA!

 Il valore della Missione
(dai un punteggio da 1 a 10)

Coraggio:. . . . .
Curiosità: . . . .
Cura:. . . . .
Costruire: . . . .
Divertimento: . . . . .

Cosa ricorderai?

Le nuove scoperte, le nuove amicizie, i commenti dei lettori.

 Il libro da leggere: *Il vangelo secondo Larry,*
di Janet Tashjian.

COMPLETARE UN VIDEOGIOCO DIFFICILISSIMO

Hai mai completato un videogioco? Ci vuole impegno, concentrazione, costanza. Possono essere necessarie lunghe ore di allenamento, un'attenta pianificazione o un gran numero di tentativi.

Per compiere questa Missione devi vedere la schermata finale di un videogioco, uno qualsiasi. Meglio se ti appassiona. Da questa Missione sono esclusi tutti i giochi che diventano più facili pagando (per esempio acquistando a parte denaro di gioco o oggetti speciali).

Console e giochi vecchi

Per scegliere il tuo videogioco non devi spendere tanti soldi. I migliori videogiochi sono oggi delle belle App che costano meno di 10 Euro. Oppure ti invitiamo a provare i videogiochi di tanto tempo fa, che ormai non sono più in commercio, ma che si possono scaricare da Internet: si chiamano RE-TRO GAME e si possono giocare online. Chi vi scrive ha terminato molti videogiochi, e con grande soddisfazione. In particolare puoi tentare la sfida con: The Legend of Zelda, Ghosts'n Goblins, Black Tiger, Project Firestart, Monkey Island, Tomb Raider e Zak McKracken. Ma ce ne sono migliaia tra cui scegliere, abbastanza per tenerti impegnato per anni.

La PlayStation è una bellissima console, per giocare. Ma quella nuova costa moltissimi soldi. Prova a cercare quelle più vecchie, usate, e scoprirai che, con qualche decina di euro, puoi farti un parco di videogiochi di tutto rispetto.

Se la mamma o il papà si lamenteranno, spiega loro che sei in Missione e mostragli la lettera qui sotto:

Gentili Genitori,

vostro figlio, o vostra figlia, è molto impegnato nel completamento di questa Missione, la buona riuscita della quale è essenziale per il suo completo sviluppo cognitivo e per il coordinamento psicomotorio. Le ultime ricerche dimostrano anche che l'azione dei videogiochi ha una valenza indispensabile nell'attivare i neuroni specchio del suo cervello. Inoltre, scarica lo stress e l'aggressività in modo innocuo. L'aspetto narrativo dei videogiochi, poi, che è sempre più coinvolgente, nutre l'anima dei vostri ragazzi almeno quanto le tragedie greche.

Per queste ragioni vi invitiamo a sostenere gli sforzi del vostro ragazzo e a festeggiare con lui o lei quando, sicuramente, ne uscirà vittorioso.

Solo a questo punto potrà naturalmente recuperare il tempo perduto per i compiti e i lavori di casa.

Certi di poter contare sulla vostra approvazione, porgiamo distinti saluti,

Pierdomenico e Tommaso

MISSIONE COMPIUTA!

 Il valore della Missione
(dai un punteggio da 1 a 10)

Coraggio:.........

Curiosità: ....

Cura:............

Costruire: ....

Divertimento: .....

 Cosa ricorderai?

Il dolore alle dita, gli occhi stropicciati, la sofferenza del perdere l'ultima vita come se fosse un pezzo della tua anima, la sensazione di essere i più grandi del mondo quando, finalmente, sarai arrivato alla fine.

📖 **Il libro da leggere:** *Player One*, di Ernest Cline.

MISSIONE 37

COSTRUIRE UN MOSTRO SIMPATICO

Chi è che non ha paura dei mostri? E chi è che, per gli stessi motivi, non ama i mostri? Ci sono mostri ovunque: alcuni spaventosissimi, come quelli che si nascondono sotto il letto. Altri un po' meno spaventosi, che ci fanno ridere. Se, come tutti noi, hai paura dei mostri, ma ne sei anche affascinato, il modo migliore per fare la loro conoscenza è superare questa Missione, che consiste nel farsene uno da soli.

E come si fa un mostro? Non basta immaginarlo. Bisogna proprio costruirselo. Si può fare un mostro mettendo insieme tante scatole di cartone e dipingendole di nero. Oppure con dei rami legati tra loro, da appendere poi fuori dalla tua capanna (in questo caso, sarà un mostro guardiano). Puoi prendere dei sassi particolari, dei colori e dipingerci sopra la faccia del mostro.

Oppure puoi proprio scolpirne uno. Modellandolo con la plastilina, che si deve comprare.

Se non vuoi comprarla, puoi usare la pasta di sale, cioè un impasto fatto con 1 tazza di acqua, 1 tazza di sale, 1 tazza di farina, 1 cucchiaino di colla vinilica e 1 cucchiaino di olio: impasta bene gli ingredienti ed ecco pronto un materiale da modellare con facilità, che una volta secco non si sgretolerà ma resterà compatto.

La cosa importante della Missione è creare un mostro che sia molto, molto personale. Vale a dire che, una volta che lo avrai finito, dovrai dargli un nome. E capire cosa fa. Ti protegge? Sorveglia il tuo rifugio segreto? O i tuoi tesori?

Pensaci bene, prima di iniziare a creare un mostro: perché, una volta fatto, ci sarà. E vorrà farti un sacco di domande.

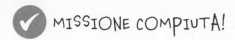 **MISSIONE COMPIUTA!**

Disegna qui il mostro che hai costruito

 Il valore della Missione
(dai un punteggio da 1 a 10)

Coraggio: . . . .
Curiosità: . . . .
Cura: . . . .
Costruire: . . . .
Divertimento: . . . . .

Cosa ricorderai?

La nascita di qualcosa di nuovo tra le tue mani, qualcosa che esiste solo grazie a te.

 Il libro da leggere: *Frankenstein*, di Mary Shelley.

INVENTARE UNA POZIONE MAGICA

Bava di lumaca, sapone per i piatti, zucchero a velo e lombrichi di terra... qualsiasi ingrediente può servire a creare un mefitico intruglio.

Se potessi inventare una pozione magica, come la faresti? Colorata e profumata, oppure fetida e irrespirabile? Quali sarebbero gli ingredienti e, soprattutto, quale sarebbe lo scopo della magia?

Prendi una caraffa (anche un grosso bicchiere va bene, purché sia in grado di contenere tutto ciò che ci verserai) e componi il tuo beverone magico. Mescola tutto per bene, poi fallo annusare ai tuoi amici e chiedi loro di indovinare gli ingredienti. Nessuno dovrà assaggiarlo, mi raccomando: bisogna solo annusare (e vedrai che sarà già sufficiente così!).

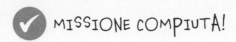 **MISSIONE COMPIUTA!**

**Gli ingredienti segreti
della mia pozione erano:**

 Il valore della Missione
(dai un punteggio da 1 a 10)

Coraggio:.........
Curiosità: ....
Cura:...........
Costruire: ....
Divertimento: .....

 Cosa ricorderai?

Gli odori assurdi, il colore della pozione che cambia a ogni ingrediente, il disgusto e le grasse, grassissime risate.

 Il libro da leggere: Le streghe, di Roald Dahl.

INVENTARE UNA STORIA

Gli esseri umani hanno bisogno di storie quanto di acqua e di cibo, ma non è facile inventarne una.

Non ci sono regole fisse, però proviamo lo stesso a darti qualche consiglio.

Anzitutto ti serve un protagonista. Dev'essere un personaggio interessante, che ha qualcosa di speciale. Achille, per esempio, era un semidio quasi invulnerabile. Ma è quel "quasi" a renderlo unico, quel piccolissimo punto debole che lo rende imperfetto. Kim, il protagonista del romanzo di Kipling, è un orfano povero e ignorante, ma che ha imparato a essere scaltro vivendo tra i banchi di un mercato indiano.

Il tuo protagonista può anche essere normalissimo, senza nessuna dote speciale, ma allora gli dovrà accadere qualcosa di straordinario che cambierà la sua vita come vincere alla lotteria o incontrare qualcuno che gli fa battere il cuore.

Il passaggio successivo è trovare questo evento speciale. Può essere un problema insormontabile, qualche compito difficilissimo che richiede grande astuzia per essere risolto.
Una delle dodici fatiche di Ercole consisteva nel ripulire le immense stalle di re Augìa in un giorno solo. Un compito impossibile anche per un forzuto sbrigativo come lui. Ma Ercole deviò il corso di un fiume che, travolgendo le stalle, si portò via ogni sporcizia. Le storie, in fondo, sono questo. Vedere come il protagonista risolve i suoi problemi.
Se ti cimenterai in questa Missione non scoraggiarti se all'inizio

non ti vengono idee. È normale. Bisogna spremersi per bene il cervello e concentrarsi senza distrazioni.

Quando avrai scritto la tua storia lasciala nel cassetto per una settimana. Dimenticala. Pensa ad altro. Poi rileggila. Ti sembrerà scritta da un altro. Ci troverai mille difetti da correggere. Quando li avrai sistemati, e solo allora, mostrala a qualcun altro. Oppure pubblicala sul giornalino della Missione 35.

MISSIONE COMPIUTA!

 Il valore della Missione
(dai un punteggio da 1 a 10)

Coraggio:. . . . .

Curiosità: . . . .

Cura:. . . . .

Costruire: . . . .

Divertimento: . . . . .

Cosa ricorderai?

La paura del foglio bianco, i ripensamenti, le indecisioni, i colpi di genio e la tensione di quando sei in attesa della prima critica.

 Il libro da leggere: *L'inventore di sogni*, di Ian McEwan.

SCRIVERE UNA LETTERA

C on l'avvento di Internet le lettere cartacee sono quasi sparite. Eppure ricevere una lettera da un amico è una cosa bellissima. Aprire una busta è un momento molto emozionante, come aprire uno scrigno che racchiude meraviglie e misteri. Oltre alla lettera ci possono essere ritagli, fotografie, disegni. Tutto ciò che è di carta, o molto sottile, può essere spedito facilmente. E allora perché non farlo? Hai un amico lontano? Qualcuno di cui conosci l'indirizzo ma che non sai come contattare? Preparagli una bella lettera. Curala nei particolari. Raccontagli di te, di ciò che fai. Puoi anche scrivergli di questo libro e delle esperienze che hai fatto. Aggiungi disegni, un biglietto dell'autobus, la carta di una caramella, o magari brevi strisce a fumetti create da te. Stampa qualche tua foto e allegala. Ogni documento aggiuntivo renderà la lettera più memorabile e preziosa.

E se il tuo amico vive all'estero, ancora meglio: la lentezza della posta la può rendere ancora più affascinante. Prova a convincerlo a risponderti nello stesso modo.

E quando riceverai la risposta, avrai completato questa Missione.

Non sai cosa scrivere al tuo amico? Allora perché non scrivere una lettera d'amore al ragazzo o alla ragazza che ti piace?

L'unica condizione di questa Missione è che la lettera venga spedita, e non consegnata a mano: così l'effetto-sorpresa sarà decisamente più forte.

MISSIONE COMPIUTA!

 ### Il valore della Missione
(dai un punteggio da 1 a 10)

Coraggio: . . . .
Curiosità: . . . .
Cura: . . . .
Costruire: . . . .
Divertimento: . . . . .

 ### Cosa ricorderai?

I pensieri che prendono forma tra le righe della lettera, le emozioni che tradurrai in parole affinché il destinatario possa viverle con te.

 Il libro da leggere: *Ciao, tu*, di Beatrice Masini e Roberto Piumini.

INFRADICIARSI DURANTE UN TEMPORALE

Il cielo gonfio e scuro, arrabbiato e minaccioso. I tuoni che spaccano le orecchie e ti fanno sentire fragile e rotto.

La paura dei temporali dimora dentro di noi come un segreto inconfessabile, ed è la stessa paura che spaventava i nostri antenati cento, mille, milioni di anni fa. È una sensazione così radicata, in noi, che i popoli antichi hanno immaginato che i fulmini fossero scagliati da dèi (come Zeus) e i tuoni fossero causati da magici martelli (Thor, il dio del tuono della mitologia nordica, ha proprio un martello in grado di fracassare le montagne).

Ma c'è qualcosa che possiamo fare per placare un po' questa paura.

Possiamo affrontarla.

Possiamo decidere di restare fuori, sotto l'acqua, faccia a faccia con ciò che ci spaventa. E scoprire che è bellissimo, il temporale. È bellissimo sentire una doccia di cielo sulle guance, i capelli che grondano, i vestiti che diventano fradici e pesanti.

Possiamo fare amicizia con il temporale, sentirlo vicino, sentirci come lui, noi che dentro siamo pieni di tempeste e di fulmini che hanno bisogno di sfogo.

 MISSIONE COMPIUTA!

Strizzando i vestiti che avevo indosso durante il temporale avrei riempito il secchio d'acqua fino a qui [segnare fino a dove]:

Il valore della Missione
(dai un punteggio da 1 a 10)

Coraggio:.........
Curiosità: ....
Cura:............
Costruire: ....
Divertimento: .....

 Cosa ricorderai?

La libertà di non avere più paura, l'emozione di fare qualcosa che nessuno fa mai, l'acqua in bocca, negli occhi, dentro.

 Il libro da leggere: *Pippi Calzelunghe*, di Astrid Lindgren.

FARSI UNA PLAYLIST

Se suonare uno strumento musicale non è facilissimo, e non tutti sono portati, ascoltare la musica è molto più facile. Scegli un brano musicale, chiudi gli occhi e immergiti nei suoni. Cosa ti viene in mente? Quali immagini ti appaiono davanti? Sono cose che conosci, che fanno parte della tua vita quotidiana oppure sono immagini lontane, di mondi sconosciuti che aspettano solo di essere esplorati? E quei mondi dove sono? Nello strumento, nella musica o nella tua testa?

Sono domande importanti perché la musica può avere una grande influenza sulla tua vita. Può cambiare uno stato d'animo da triste a felice, o può aiutare a svegliarsi prima la mattina. Per Albert Einstein, per esempio, era indispensabile per pensare.

Per completare questa Missione devi compilare una playlist.

Scegli un tema, per esempio: "Dieci canzoni che parlano di viaggi", oppure: "Dieci canzoni con assoli di chitarra". Decidi tu quale, in base ai tuoi gusti e ai tuoi interessi. Poi seleziona le canzoni. Valutale una per una. Devono stare bene insieme, devono avere un senso. Anche l'ordine è importante.

Infine condividi la tua playlist coi tuoi amici. Puoi anche pubblicarla sul blog della Missione 35.

Cosa ne pensa il tuo pubblico? Ha proposte alternative? Vorrebbe cambiare qualche canzone? E perché?

 MISSIONE COMPIUTA!

Questa è la mia playlist:

Il valore della Missione
(dai un punteggio da 1 a 10)

Coraggio:. . . . .

Curiosità: . . . .

Cura:. . . . .

Costruire: . . . .

Divertimento: . . . . .

 Cosa ricorderai?

I suoni che ti accarezzano il cuore, ti accendono il sangue, ti scuotono di energia.

 Il libro da leggere: *I 10 mesi che mi hanno cambiato la vita, di Jordan Sonnenblick.*

ORGANIZZARE UNA RECITA

Come ti sentiresti se fossi il Re di Scozia? Come ti comporteresti se fossi Apollo, il figlio di Zeus? Come cammineresti se fossi grassissimo o se fossi basso come un pigmeo? E se non fossi un uomo, ma un drago? Un gigante? Un uccello?

Recitare risponde a tutte queste domande, e lo fa nella cornice di una storia.

Per completare questa Missione devi organizzare una recita. Può essere composta da un personaggio solo, e in questo caso si chiama monologo, oppure puoi chiamare a raccolta tutti gli amici per raccontare una storia più complessa (e allora sarà un'esperienza molto più divertente).

Puoi inventare tu la storia (completando anche la Missione 39), oppure puoi mettere in scena la storia di un personaggio realmente esistito (prendendo spunto dalla Missione 33), o quella di un libro che ti è piaciuto.

La recita non va improvvisata. In particolare bisogna:
- scrivere il copione, cioè la descrizione di ciò che avviene sulla scena e di ciò che dicono i personaggi, battuta per battuta;
- preparare i costumi (sceglierli, trovarli e abbinarli a ciascun personaggio);
- dipingere le scenografie (procurarsi un foglio enorme, oppure un lenzuolo vecchio, e dipingerlo con lo scenario della storia: un castello, se si tratta di un'avventura da cavalieri; un bosco, se si tratta di un racconto di elfi e gnomi; e così via);
- scegliere le musiche di accompagnamento;
- imparare le battute a memoria;
- trovare un posto per fare le prove;
- una volta pronto tutto, allestire lo spettacolo: trovare un luogo in cui metterlo in scena, trovare sedie o cuscini per gli spettatori, fissare la scenografia (il foglio o lenzuolo) dietro lo spiazzo che farà da palcoscenico e scegliere qualcuno della compagnia che possa far partire le musiche al momento giusto.

Se ti impegnerai abbastanza riuscirai a emozionare il tuo pubblico. E vedrai che, al momento degli applausi, ti emozionerai un bel po' anche tu.

 **MISSIONE COMPIUTA!**

**Titolo dello spettacolo
e membri della compagnia teatrale:**

 Il valore della Missione
(dai un punteggio da 1 a 10)

Coraggio:. . . . .
Curiosità: . . . .
Cura:. . . . .
Costruire: . . . .
Divertimento: . . . . .

 Cosa ricorderai?

Il copione ripetuto fino alla nausea, la paura del palcoscenico, la battuta dimenticata, la tensione, gli sguardi d'intesa e di trepidazione con gli altri attori, gli applausi scroscianti alla fine della rappresentazione.

 Il libro da leggere: *Speciale Violante*, di Bianca Pitzorno.

CUCINARE IL PANE (E MANGIARLO)

È ora di pasticciare in cucina. Hai già preparato qualcosa da mangiare? No, sbucciare una mela non è considerato cucinare. Sì, fare un panino invece è cucina vera e propria. Alcuni, anzi, la ritengono un'arte.

Allora perché non cucinare il pane? È semplice, divertente e soprattutto importante.

Nei paesi mediterranei, infatti, il pane è considerato l'alimento principale. Sulle nostre tavole non manca mai e già i greci lo ritenevano cibo degli dei. Anche i romani lo consideravano indispensabile. Hanno addirittura inventato una parola per indicare tutto ciò che ci puoi mettere dentro: companatico. Cioè, "con il pane".

La ricetta

Procurati questi ingredienti:
- 300 ml di acqua
- 12 gr lievito di birra fresco (puoi sostituirlo con 12 gr di lievito in polvere)

139

- 250 gr di farina bianca tipo 0
- 250 gr di farina Manitoba
- 50 ml di olio di oliva
- 10 gr di sale
- un pizzichino di zucchero

Sciogli il lievito in una ciotola con 50 ml di acqua tiepida, e aggiungi il pizzichino di zucchero. Se il lievito è fresco, si attiverà creando una bella schiuma chiara.

Setaccia tutte e due le farine su un piano di lavoro: devi ammucchiarle in un monticello con un buco in mezzo, come se fosse un vulcano.

Rovescia la ciotola con acqua e lievito nel vulcano, poi richiudi il buco con un po' di farina.

Prendi l'acqua rimasta, versaci dentro l'olio e il sale e mescola bene. Versa il tutto sul monticello di farina.

Adesso arriva il momento più difficile: bisogna impastare.

Lavora l'impasto con grandi movimenti energici. Schiaccia, spingi, ruota, tira. Devi andare avanti per una decina di minuti, finché l'impasto non diventa compatto ed elastico e non appiccica quasi più. Se appiccica, infarinati le mani e lavoralo ancora un pochino.

Ora l'impasto deve lievitare: mettilo in una grande ciotola, copri la ciotola con la pellicola trasparente e lascia riposare il tutto per un paio d'ore.

Quando l'impasto avrà raddoppiato il volume, mettilo su una teglia su cui avrai disteso un foglio di carta da forno. Questo è il momento di dare alla tua pagnotta la forma che vuoi. Puoi preparare una pagnotta tonda su cui incidere una croce col coltello, oppure puoi darle una forma allungata come uno sfilatino o una baguette.

Lascia lievitare il pane per un'altra ora e vedrai che raddoppierà di nuovo di volume.

A questo punto, accendi il forno a 200 gradi. Inforna la tua pagnotta e lasciala cuocere per circa tre quarti d'ora, finché la crosta non diventa dorata. Infine sforna e... Buon appetito!

 ## MISSIONE COMPIUTA!

 ### Il valore della Missione
(dai un punteggio da 1 a 10)

Coraggio:. . . . .
Curiosità: . . . .
Cura:. . . . .
Costruire: . . . .
Divertimento: . . . . .

 ### Cosa ricorderai?

Le mani appiccicaticce, l'impasto che si trasforma piano piano, il profumo caldo e avvolgente che accompagna la cottura. E l'emozione del primo morso: quel pane lo hai fatto tu.

 Il libro da leggere: *Denis del pane*, di Roberto Piumini.

AVVENTURE DA SPIAGGIA

Il mondo è pieno di sabbia. Spiagge finissime e bianche, dune dorate, coste così soffici che sembrano imbottite... Ed è una gran fortuna, perché la sabbia è proprio quel che ti serve per completare questa Missione – che è una Missione speciale in due tappe.

Fare un castello di sabbia

Per costruire un castello di sabbia l'unica cosa che serva davvero è la sabbia. Secchiello e paletta facilitano il compito, ma niente è più utile delle mani e di una buona dose di immaginazione. Non basta edificare le mura: bisogna aggiungere le torri merlate, il ponte levatoio, le feritoie e così via.

Un trucco che ti farà risparmiare tempo? Usa la sabbia umida: si modella con molta più facilità.

Fare le sabbiature

Scava una buca abbastanza grande da poterci stare sdraiato. Mettiti giù e ricopriti di sabbia.

Lascia fuori la testa, che deve essere riparata dal sole, e goditi il riposo.

La sabbia, riscaldata, diventa una specie di termocoperta. Quando ti sarai riposato per bene, puoi emergere lentamente dalla spiaggia tipo zombi.

La Missione è valida anche se seppellisci un tuo amico.

 MISSIONE COMPIUTA!

 Il valore della Missione
(dai un punteggio da 1 a 10)

Coraggio:. . . . .
Curiosità: . . . .
Cura:. . . . .
Costruire: . . . .
Divertimento: . . . . .

 Cosa ricorderai?

La sabbia su tutto il corpo, il sollievo di tuffarti in mare per liberarti di ogni più piccolo granello per poi riempirti di sabbia di nuovo, gli invincibili bastioni del castello portati via dall'alta marea.

 Il libro da leggere: *Cinque bambini e la Cosa,* di Edith Nesbit.

FARE UNA GARA CON LE BIGLIE

Qualche tabaccaio, le edicole e i negozi di giocattoli vendono ancora le biglie per fare gare sulla sabbia. Sono biglie in plastica grandi e leggere (quelle di vetro non vanno bene) da spingere avanti con un colpo secco delle dita.

Per tracciare la pista scegli un amico, possibilmente magrolino, e fallo sedere sulla sabbia. Poi prendilo per le caviglie e tira, disegnando un largo 8 con il suo sedere, che scaverà il tracciato. Si gioca a turno, e a inseguimento: in ogni giro, ciascuno ha diritto a spostare la sua biglia avanti con un solo tocco. Tira per primo chi è davanti e poi tutti gli altri. Ogni volta che una biglia esce dal tracciato, si rimette dove era stata lanciata.

Vince chi finisce per primo i giri previsti (e più avanti, in caso di parità).

✓ MISSIONE COMPIUTA!

 Il valore della Missione
(dai un punteggio da 1 a 10)

Coraggio:. . . . .
Curiosità: . . . .
Cura:. . . . .
Costruire: . . . .
Divertimento: . . . . .

 Cosa ricorderai?

La sabbia sotto le unghie (o nel costume, se è il tuo sedere che scava la pista), le grida dei giocatori che fanno un bel tiro, il sole che asciuga la fronte salata, la voglia di gareggiare ancora una volta.

 Il libro da leggere: *La scimmia nella biglia,*
di Silvana Gandolfi.

ESPLORARE LA PROPRIA CITTÀ BENDATI

Conosci *davvero* la tua città? Chiudi gli occhi e pensa di essere in una via, una qualsiasi. Riesci a immaginare i negozi, le auto parcheggiate, i monumenti? Ora prova a camminare, a seguire un percorso. Magari quello che fai per andare a scuola o in palestra. Ti ricordi ogni svolta, ogni incrocio?

Ora viene il difficile: riesci a immaginare i suoni? Il traffico, gli altri passanti che chiacchierano, treni e fabbriche in lontananza? E gli odori?

Quasi tutti riescono a ricordare le immagini dei luoghi che hanno visitato, ma i suoni e le altre percezioni svaniscono più facilmente dalla memoria.

Questa Missione ha lo scopo di farti scoprire un aspetto della città che non conoscevi. Sei pronto?

Cerca un amico fidato, uno davvero fidato. Procurati una benda (un foulard scuro, un paraocchi per dormire, un sacco di tela nera da infilarsi in testa... Vanno bene anche due bende da pirata!) e indossala prima di uscire di casa. Il tuo amico ti terrà sottobraccio e guiderà i tuoi passi evitando che tu finisca in una fontana o sotto un tram. È lui che decide dove andare. Può seguire una strada conosciuta oppure esplorare zone della città che lui stesso non conosce bene.

Non puoi vedere ma puoi ascoltare, percepire la temperatura, gli spostamenti d'aria, gli odori. Tutti gli altri sensi sono amplificati. Concentrati. Riconosci quei posti? Ti eri mai accorto di quante cose ci sono intorno a noi che ignoriamo, o che diamo per scontato?

 MISSIONE COMPIUTA!

Annota qui le sensazioni e le emozioni che ti ha regalato questa Missione.

Il valore della Missione
(dai un punteggio da 1 a 10)

Coraggio:.........
Curiosità: ....
Cura:...........
Costruire: ....
Divertimento: .....

 Cosa ricorderai?

Scoprire cose e sensazioni nuove in luoghi che ti sembrava di
conoscere benissimo, e invece...

 Il libro da leggere: *La boutique del mistero,*
di Dino Buzzati.

SMONTARE (E RIMONTARE) UN GIOCATTOLO

Siamo circondati da oggetti che nascondono un cuore misterioso, meccanismi segreti che operano di nascosto. Fior di ingegneri lavorano a progettare cellulari, stereo, console ma anche action figure e giocattoli di ogni tipo.

Ti sei mai chiesto come funzionano? Cosa c'è dentro? Bene! La curiosità è la caratteristica dell'avventuriero, dell'esploratore, delle persone che vogliono scoprire le cose.

Prendi qualche cacciavite, scegli uno dei giocattoli che ti incuriosisce di più e smontalo.

Non tutti i giocattoli sono interessanti. Per esempio ti sconsigliamo di aprire le cose elettroniche: di solito sono incomprensibili e piuttosto noiose. Molto meglio smontare qualcosa che abbia un meccanismo, leve e ruote dentate. Una volta i giocattoli erano tutti così. Prendevi un trenino di latta, lo caricavi con una chiavetta come se fosse un orologio a pendolo e poi lo lasciavi sul pavimento, su cui filava sbuffando per poi infilarsi sotto la poltrona del nonno. Dentro quel trenino c'era un'infinità di ingranaggi, leve e soffietti che facevano brillare gli occhi ai coraggiosi che decidevano di smontarlo.

Ecco: ora tocca a te. Cosa smonterai? E soprattutto: sarai capace di rimontarlo?

 MISSIONE COMPIUTA!

 Il valore della Missione
(dai un punteggio da 1 a 10)

Coraggio: . . . .
Curiosità: . . . .
Cura: . . . .
Costruire: . . . .
Divertimento: . . . . .

 Cosa ricorderai?

La sorpresa nello scoprire meccanismi e ingranaggi. La scoperta che smontare (e rimontare) un giocattolo può essere divertente quanto giocare.

 Il libro da leggere: *La straordinaria invenzione di Hugo Cabret,* di Brian Selznick.

STENDERE UNA LISTA DI DESIDERI DA ESAUDIRE

Questa è una Missione speciale, difficile ma bellissima, forse quella che ti darà più emozioni di tutte le altre.

Per compierla devi scrivere un elenco di dieci desideri. Cose che sogni per te o per le persone a cui tieni. Hai sempre sognato di salire su un aereo, per esempio? Allora questo sarà il tuo primo desiderio. I tuoi genitori vorrebbero scappare su un'isola deserta per un po'? Questo sarà il secondo. Vorresti che i tuoi migliori amici restassero accanto a te per sempre? Questo sarà il terzo. Vuoi un cane? E così via.

Per completare questa Missione dovrai esaudire almeno tre desideri della lista, cercando di occuparti degli altri negli anni che hai davanti.

Scoprirai, così, che fare cose importanti nella vita è più facile di quello che sembra.

✓ MISSIONE COMPIUTA!

Desideri

1.

2.

3.

4.

5.

6.

7.

8.

9.

10.

Il valore della Missione
(dai un punteggio da 1 a 10)

 Cosa ricorderai?

Puoi saperlo solo tu.

Coraggio:.........
Curiosità: ....
Cura:...........
Costruire: ....
Divertimento: .....

 Il libro da leggere: *Stargirl*, di Jerry Spinelli.

NASCONDERE UN TESORO

Gli avventurieri, di solito, trovano i tesori. Ma nessuno si preoccupa mai di chi i tesori li nasconde.

Per questo, se vuoi completare questa ultima Missione dovrai preparare un tesoro, nasconderlo e disegnare una mappa misteriosa perché qualcuno possa ritrovarlo tra un bel po' di tempo.

Anzitutto devi decidere quale sarà il tesoro che vuoi nascondere. Devono essere oggetti personali, che hai usato a lungo. Qualcosa che per te è prezioso. Potrebbe essere un vecchio pettine, un mazzo di figurine o il tuo sacchetto di biglie. Devi rinunciare a qualcosa che ora ti sembra indispensabile. Meglio ancora se individui più oggetti. Potresti raccogliere in un piccolo quaderno le dediche e gli autografi dei tuoi amici.

Metti la data su ogni dedica: quando lo ritroverai avrai un riferimento temporale. Se hai terminato tutte le Missioni, potresti anche decidere di nascondere questo libro.

E poi essere tu a recuperarlo, tra tanti, tanti anni.

Quando hai raccolto gli oggetti che costituiscono il tesoro, devi procurarti uno scrigno. Il materiale migliore per uno scrigno è lo stagno, perché non fa entrare l'acqua. Ma sono perfetti anche i contenitori di plastica o vetro che si usano in cucina, per conservare cibi e bevande.

Lo scrigno sarà la tua capsula del tempo: qualcosa che non verrà aperto per molti anni, e che, quando sarà ritrovato, ti catapulterà di nuovo nei giorni che stai vivendo ora.

A questo punto cerca il tuo posto magico, il luogo a cui vuoi consegnare i tuoi ricordi. Può essere una nicchia segreta o una buca in giardino, un angolino nascosto nel cortile dei nonni, in garage oppure in soffitta.

Se devi, scava una buca profonda, adagia lo scrigno sul fondo, e ricopri tutto pressando bene il terreno.

Infine, traccia una mappa del tuo nascondiglio. Devi disegnarla tu, indicando i punti di riferimento e le informazioni necessarie per ritrovare il tesoro. Deve essere abbastanza chiara per te, ma non facilissima da leggere per gli altri.

A questo punto, nascondi la mappa. In camera tua va benissimo, oppure puoi spedirla a un amico. Custodiscila per tanti anni. Dieci, venti.

E, quando verrà il momento di trovare un tesoro, sarà davvero il tuo tesoro.

✓ MISSIONE COMPIUTA!

 Il valore della Missione
(dai un punteggio da 1 a 10)

Coraggio:. . . . .
Curiosità: . . . .
Cura:. . . . .
Costruire: . . . .
Divertimento: . . . . .

 Cosa ricorderai?

I giri di ricognizione alla ricerca del nascondiglio perfetto, il brivido di una missione top secret, la scelta accurata del tesoro, e (se tutto va bene) il posto in cui ritrovarlo.

 Il libro da leggere: *Buchi nel deserto*, di Louis Sachar.

Le Appendici

Il sorteggio

Sei su una nave in Missione scientifica. Una piovra gigante sbuca dal fondo dell'oceano e attacca l'imbarcazione. Bisogna scegliere alcuni membri dell'equipaggio che, armandosi di rampone, vadano a difendere il ponte. Il capitano abbassa le sopracciglia cispose e ti fissa con quegli occhi scuri come il fondo di un vortice.

"Tu", dice con una voce bassa da far attorcigliare le viscere. "Tu, parla. Come sorteggiamo i volontari?"

Il problema del capitano è comune a molti ragazzi. Che si giochi a calcio, a minigolf o a tennis non cambia nulla. Bisogna decidere chi inizia, chi prende la palla in mano per primo.

Quello che batte. O quello che sceglie il campo.

Ci vuole un sistema casuale, riconosciuto da tutti, per scegliere qualcuno.

La scelta del sistema dipende dal numero di persone che partecipano al sorteggio.

Due partecipanti

Se siete solo in due, il sistema più semplice è il pari o dispari.

Si chiude una mano a pugno e si dichiara "pari!", oppure "dispari!". I due partecipanti devono fare scelte opposte. Quindi si scandisce "bim-bum-bam!" oppure "un-due-tre!" facendo dondolare le mani a destra e a sinistra al ritmo delle tre parole. Quando si arriva al punto esclamativo bisogna aprire le mani e indicare un numero con le dita. Si sommano i due numeri e si guarda se il risultato è pari o dispari. Vince chi ha previsto correttamente il risultato.

Se invece avete con voi una moneta, potete giocare a testa o croce. Come prima bisogna fare una dichiarazione, tentando di indovinare il risultato. Uno dei due lancia la moneta facendola ruotare su se stessa e la afferra al volo, appoggiandola poi sul dorso dell'altra mano.

È un metodo che usavano già gli antichi romani, e che è diffuso in tutto il mondo: gli inglesi giocano a "testa o coda", i tedeschi invece a "testa o numero". Gli irlandesi, popolo romantico, a "testa o arpa". In Messico, dove un tempo vivevano Maya e Aztechi, "aquila o sole". Gli antichi greci, meno legati al denaro e più portati per la filosofia, giocavano con una conchiglia, dopo aver dipinto un lato di nero. Il gioco si chiamava "giorno o notte".

Tre o più partecipanti

Siete in cinque e bisogna scegliere solo un fortunato giocatore? Prendete tanti fili d'erba quanti sono i giocatori. Gli steli delle erbacce sono perfetti: devono essere tutti della stessa lunghezza tranne uno, che sarà parecchio più corto degli altri. Tieni gli steli nel pugno, facendo in modo che non si capisca qual è quello più corto. Ora i tuoi amici devono sfilare uno stelo ciascuno, e chi pesca il più corto vince.

Sei al chiuso e non hai steli a disposizione? Procurati qualche fiammifero, accendine uno e spegnilo subito. Poi procedi come con gli steli d'erba, lasciando nascosta la parte bruciata del fiammifero. Chi pesca il fiammifero bruciato sarà il prescelto.

Anche i dadi e le carte sono perfetti per il sorteggio. Basta vedere chi fa il tiro più alto col dado, lanciando di nuovo in caso di pareggio. Lo stesso vale per le carte: chi pesca quella più alta vince (ricorda che l'asso vale uno!).

Le regole del gioco

Quando si è in società, e per società intendiamo "insieme ad altre persone", bisogna comportarsi secondo certe regole. Dobbiamo essere onorevoli e leali.

Dobbiamo sempre mantenere le promesse che facciamo.

Se siamo pronti a barare, se non ci facciamo scrupoli di corrompere o "dimenticare" le regole del gioco per vincere, nessuno avrà più voglia di giocare con noi.

Dobbiamo essere un po' come i cavalieri: i guerrieri più temuti e rispettati dei tempi antichi. Con le loro armature, erano carrarmati a cavallo. Ma sapevano usare il liuto tanto quanto la spada.

Generosi e onesti, erano amati dagli amici.

Implacabili e feroci, erano temuti dai nemici.

Quando si gioca, tutti i partecipanti devono essere cavalieri: impegnati nella lotta e rispettosi delle regole. Altrimenti è impossibile divertirsi davvero.

Inoltre, solo i più forti e valorosi sanno trionfare senza ricorrere a scorrettezze.

Fermare il gioco

Durante una partita di calcio, l'arbitro usa un fischietto per richiamare l'attenzione e interrompere i giocatori.

Per qualsiasi altro gioco, esiste una parola in codice quasi universalmente riconosciuta che mette in "pausa" l'azione. La parola è "PUGNO!" e bisogna gridarla alzando un pugno al cielo.

Chiunque può farlo. Metti che siate impegnati nel nascondino più pericoloso del mondo in una foresta tropicale tra scimmie assassine, ragni velenosi e serpenti boa. E metti che uno dei tuoi amici inciampi su una pietruzza sbucciandosi un ginocchio. Il gioco va subito fermato per aiutare chi si è fatto male.

Se senti qualcuno che grida "PUGNO!", il gioco è sospeso. IN QUALSIASI CASO, qualsiasi cosa tu stia facendo, fermati dove sei e controlla cos'è successo.

Penitenze

Perdere capita a tutti, prima o poi, e imparare a non prendersela troppo e a riderci su è uno dei segreti per divertirsi davvero quando si gioca. È così che vanno prese le penitenze: non si tratta di dividere gli amici tra "vincenti" e "perdenti", ma di un modo per ridere insieme, ricordandosi che i vincenti di oggi saranno i perdenti di domani, e viceversa.

Esistono penitenze da gentiluomini (ad esempio, chi perde divide la merenda con tutti) e penitenze più demenziali.

Eccone alcune da tenere sottomano:

1. La Statua: bisogna restare immobili come pietre per 90 secondi, senza parlare e senza neanche sbattere le palpebre. Il capitano avversario decide la posizione e tiene il tempo.

2. Fare l'imitazione del gallo salendo in piedi su una panchina.

3. Fare lo slalom tra gli altri ragazzi saltellando su una gamba sola.

4. Riempirsi la bocca di biscotti secchi e cantare una canzone.

5. Farsi pasticciare la faccia (con colori, rossetto della mamma o altro) da un amico accuratamente bendato.

6. Fare un'esibizione di danza classica mentre gli altri cantano una canzone.

7. Raccogliere un fazzoletto da terra, usando solo la bocca e tenendo le mani dietro la schiena.

8. Dire al contrario i nomi dei vincitori (es. elehcim, oreip, atram...). E se si fa un errore bisogna ricominciare da capo.

9. Tenere questo libro in equilibrio sulla testa mentre si mima una sfilata di moda.

10. Recitare una poesia tenendo un grissino o uno stecco tra i denti.

Un buon sistema per scegliere le penitenze è quello di far scrivere a tutti i partecipanti una penitenza a testa su un bigliettino, prima della partita, e poi estrarre alla fine una penitenza dal mucchio.

La penitenza più classica è nota come "Dire, fare, baciare, lettera e testamento".

Il malcapitato deve scegliere una categoria e tutti gli altri stabiliscono cosa deve fare.

Per esempio:

1. Dire l'alfabeto al contrario, partendo dalla Z. Ad ogni errore bisogna ricominciare da capo.

2. Fare l'ululato del lupo più forte possibile.

3. Baciare un giocatore scelto dagli altri.

4. Qualcuno scrive col dito sulla schiena del penitente, che deve decifrare il messaggio.

5. La più rischiosa! I giocatori chiedono al penitente: "Quanti ne vuoi di questi?" E il poveretto deve rispondere un numero da 1 a 10. Può ricevere di tutto: dalle pacche sulla schiena ai baci, dalle carezze ai bicchieri di acqua nella schiena.

Inutile rendere le penitenze violente o maligne: non solo perché prima o poi toccano a tutti, ma perché si sta insieme per collezionare risate e momenti preziosi. Il resto, davvero, non fa parte del gioco.

LA FINE DEL LIBRO

A vventura deriva dal latino "ad ventura" e significa "quello che accadrà". Noi non sappiamo che cosa accadrà dopo che avrai completato le 50 Missioni che ti abbiamo proposto in questo libro. Sei tu a doverlo scoprire. Ti senti diverso? Sei sempre tu? Uguale uguale, oppure qualcosa è cambiato? Ti sei divertito? E se ti sei divertito, hai forse voglia di trovare altre Missioni? E nuove avventure?

Noi ci auguriamo di sì.

Ci auguriamo che, una volta chiuso questo libro, ne aprirai un altro. E magari, anche grazie a quel nuovo libro, troverai altre 50 Missioni da fare. E poi altre cinquanta, e così via, mettendoti sempre alla prova con una nuova scoperta, un evento inaspettato, un ostacolo da superare. Con coraggio e determinazione.
Ci auguriamo anche che, se non ti sei divertito con le Missioni che ti abbiamo proposto, tu ne stia cercando o scrivendo delle altre.
Se è così, mandacele: le faremo conoscere ad altri avventurieri come te.
Puoi scriverci all'indirizzo della casa editrice: *info@castoro-on-line.it*

"Avventurieri" è una parola divertente: se la cerchi su un vecchio vocabolario, potresti trovare una descrizione simile a quella che abbiamo trovato noi:

"Individui irregolari, inquieti, molto spesso con caratteri di criminalità più o meno spiccata, alla quale però si associa un'insolita attività dell'immaginazione, confinante talvolta con la genialità. Instancabili giramondo, spadaccini temerari, inesauribili negli intrighi e negli espedienti, galanti e fortunati; pronti ora a vestire il saio, ora ad adottare con disinvoltura un'altra religione, lasciarono quasi tutti opere interessanti".

Siamo d'accordo su quasi tutto, in particolare sull'immaginazione, ma non sulla criminalità e nemmeno sulla capacità di cambiare troppe casacche. Per noi il vero avventuriero, oggi, è qualcuno che segue il suo ideale, il suo sogno, la sua idea. Lo scriveva tanti anni fa uno scrittore di nome Victor Hugo: "Siamo gli avventurieri delle nostre idee". Quindi... adesso tocca a te!

Ti auguriamo di essere impegnato. Impegnatissimo. Magari inseguito dai lupi. In combattimento con i draghi.
Che tu non abbia quasi il tempo di leggere, perché stai costruendo un gigantesco castello, allevando piante tentacolari, esplorando i mari ghiacciati del Polo Nord.
Ti auguriamo che qualunque cosa tu stia facendo, correndo, aggiustando, arrampicando, scendendo, nascondendo, dipingendo, scrivendo, pensando, inventando, trascurando, tu sia felice, perché è solo questo il motivo per cui si va in cerca di un'avventura.

Per trovare qualcosa che, all'improvviso, succede davanti ai tuoi occhi. E solo davanti ai tuoi

Appunti, disegni e scarabocchi

Appunti, disegni e scarabocchi

Appunti, disegni e scarabocchi

Appunti, disegni e scarabocchi

Indice delle missioni

1 - Dare da mangiare ad almeno 7 animali diversi   15

2 - Pattinare e andare in skate   18

3 - Giocare a pallone su un prato   21

4 - Imparare 5 nodi   25

5 - Far volare un aquilone   28

6 - Riconoscere 10 nuvole   30

7 - Organizzare una caccia al tesoro   32

8 - Creare una bolla di sapone GIGANTE   36

9 - Arrampicarsi su un albero   39

10 - Costruire una casa sull'albero   42

11 - Dormire in un posto pericoloso   44

12 - Osservare le stelle   47

13 - Fabbricarsi un vero bastone   51

14 - Camminare tra le ombre della notte   54

15 - Guardare l'alba e il tramonto dello stesso giorno   58

16 - Seminare una pianta   60

17 - Costruire una fionda   63

18 - Colpire un barattolo a dieci passi   66

19 - Rotolare giù da una collina altissima   68

20 - Fotografare 3 animali selvatici   71

21 - Seguire impronte in un bosco   73

22 - Accendere un fuoco   76

23 - Imparare a riconoscere i funghi   79

24 - Costruire un pupazzo di neve   82

25 - Costruire un igloo   84

26 - Fare una corsa con la slitta   87

27 - Dare battaglia   89

28 - Andare a caccia di fossili   93

29 - Fondare un club segretissimo   96

30 - Scrivere un messaggio segreto   99

31 - Pedinare un amico senza che se ne accorga   102

32 - Esplorare un vecchio rudere misterioso   105

33 - Imitare un personaggio famoso (e già morto)   108

34 - Orientarsi con la bussola e una mappa   111

35 - Redigere un giornalino o un blog   114

36 - Completare un videogioco difficilissimo   117

37 - Costruire un mostro simpatico   120

38 - Inventare una pozione magica   123

39 - Inventare una storia   125

40 - Scrivere una lettera   128

41 - Infradiciarsi durante un temporale   130

42 - Farsi una playlist   133

43 - Organizzare una recita   136

44 - Cucinare il pane (e mangiarlo)   139

45 - Avventure da spiaggia   142

46 - Fare una gara con le biglie   144

47 - Esplorare la propria città bendati   146

48 - Smontare (e rimontare) un giocattolo   149

49 - Stendere una lista di desideri da esaudire   151

50 - Nascondere un tesoro   154

Il manuale delle 50 avventure da vivere prima dei 13 anni
Pierdomenico Baccalario e Tommaso Percivale
illustrazioni di AntonGionata Ferrari

Sesta ristampa

© 2016 Editrice Il Castoro Srl
viale Andrea Doria 7, 20124 Milano
www.editriceilcastoro.it
info@editriceilcastoro.it

Da un'idea di Book on a Tree Ltd
www.bookonatree.com

Progetto grafico e impaginazione:
Dario Migneco / PEPE nymi
Art director: Stefano Rossetti

ISBN 978-88-6966-047-4
Stampato in Turchia